Ⓢ新潮新書

阿川弘之
AGAWA Hiroyuki

大人の見識

237

新潮社

老人の不見識——序に代えて

僕は子供の頃から大変せっかちで、この年（八十六歳）になってもそれが改まらず、いつもイライラせかせかしててね、もう少しどっしり、泰然自若としていたらと自分自身そう思うのですが、気がつくと頭に血が上っている。女房に対してもすぐ癇癪《かんしゃく》起こすし、〝瞬間湯沸かし器〟という綽名《あだな》をもらっているぐらいで、いまだに大人の風格にはほど遠いのです。

そんな老人に「大人の見識」について語れと言われても無理ですよ。しかも、せっかちの上にものぐさが加わって、最近はニュースを聞いても嫌なことばかりだから、テレビがついていればすぐ消してしまう。今現在この国の内外で起こっている様々な問題について、的確な判断をして然《しか》るべき一家言を述べるなんてこと、できそうもありません。いっそ題名は「老人の不見識」にした方が面白いかも知れないと冗談を言ったりしたけど、折角の御提案ですからあえて申しあげれば、僕が旧制高等学校へ入った昭和十二年から今年でちょうど七十年です。知識人の卵の仲間入りをして以来、これだけの長い歳月生きてきた分、実に多くのことを見聞きはしている。それについてなら語れるかもしれない。自分の生涯の体験に即して、できるだけ具体的な話をしてみることにしましょうかね。

ついては先ず、テレビを取り上げたいんだけど、かつて大宅壮一さんが、テレビによって日本人は「一億総白痴化」すると警告した、その通りの状態になりかけてやしませんか。静かに何かを語りかけるような質実な番組、本当に少ない。NHKをふくめてどのチャンネルに切り替えてみても、ワァワァ、ゲラゲラ、人気タレントの馬鹿笑いばかり聞えてくる。自分たちだけで面白がって大声あげて騒いでいるように思えるんだが、何ですかね、あの下品さは。

テレビの持つ影響力は大きいのです。あんな調子でタレントたちが乱れた言葉を喋るのを聞きつづけていると、何百万何千万もの人が知らず知らず感化されて、日本語の美しさは失われ、わが国伝統文化の根幹がこわされてしまうと思う。視聴率を稼ぐために、プロデューサーやテレビ局の役員たちは、国民の最もレベルの低い層へ焦点を合わせているつもりかもしれませんが、本来日本人の民度はそこまで低くないと私は思うのです。

最近は、大学生でも受験科目の選択によっては近現代史をほとんど知らないといいますが、日本人だという自覚があるなら、一度自国の歴史をきちんと振り返ってみたらいい。この国にもなかなかの見識をもった人物がいたのが分るはずです。

例えば、幕末の外国奉行だった川路《かわじ》左《さ》衛門尉《えもんのじょう》聖謨《としあきら》。彼が下僚《かりょう》にいった言葉として、

「これは急ぎの御用だからゆっくりやってくれ」

というのがあります。せっかちの私としては、肝に銘じている言葉です。川路は柔軟

な思考と清廉な暮しぶりで知られた開明派の幕臣でしたが、江戸城明け渡しを見届け、幕府の瓦解を確認した上でピストル自殺を遂げます。次の時代のためにも惜しい人を亡くしたものです。ちなみに詩人の川路柳虹《りゅうこう》はこの人の孫にあたる。晩年（昭和三十年頃）祖父の事跡を研究してたそうだから、大事な御用はせかせかやってはならぬという祖父の智恵と遺伝子とは、昭和期まで残っていたでしょうね。

ただ国民全体の風潮としては、敗戦の日を境に、昭和前期と後期とで、物事の価値観がガラリと変ってしまった。戦後の民主主義教育は、教科書をあちこち真っ黒に塗りつぶして過去に蓋をするところから始まりました。国家の犯した悪事や愚行を批判するにも、その実態を知らなければ、批判らしい批判にならないんだけどね。かつて世界一崇高な軍隊のように言っていた旧日本陸海軍に関しては、ふれることも憚《はばか》る時代になった。小中学生向けの国民百科事典（全八巻、一九六六年、平凡社）を見てごらんなさい。たいていの子供が知ってる「大和」や「武蔵」が国の名前としてしか出ていないんです。「聯合艦隊」という項目もない。ところが、同じ頃刊行されたアメリカ版『エンサイクロペディア・ブリタニカ』には「大和」「武蔵」から、「陸奥」や「長門」まで日本の戦艦の名前がちゃんと載っています。巻数が「国民百科」の三倍、全二十四巻だから、同列に論じてはいけないけど、それにしても外国の百科事典で自国の歴史を教えてもらうというのは恥ずべきことではないでしょうか。

戦争中、ある意味で日本人は思考停止の状態にありましたが、戦後も逆のかたちで思考停止をやってる。実際は、過去も現在も未来も切れ切れのものではなくて、つながっているんでして、大人の見識を持つためには、良きにつけ悪しきにつけ、その点を見誤らないようにしなくてはいけないでしょう。

近頃はまた反動の反動が来て、日本の対米開戦を肯定するような論議も見かけますが、僕は賛成しませんね。冷静に客観的に見て到底勝ち目のない戦争に何故突入したのか。別に自慢にもなりませんけど、開戦時の首相、その意味では日本を滅ぼしかけた最高責任者東條英機の、例の「ここに赫々《かくかく》たる戦果が――」という有名な演説口調を、僕はじかに耳にしているんです。そんな日本人、もう数が少なくなりました。

それで、初めに言った通り、自分の若い頃からの具体的見聞や読書体験に即して、時代風潮の移り変り、近代日本の不易と流行について、考え考え話しますから、読者がこれを老文士の個人的懐古談として読んで、自分たちの叡智《えいち》を育てる参考にして下さればば幸いです。

大人の見識……目次

目次

第一章　日本人の見識

信玄の遺訓と和魂

日本人の国民性を一言で言い表すとしたら、何でしょうか？世界中の人が多分すぐ思い浮かべるのが「勤勉」、「几帳面」、それと並んで、残念ながら「軽躁」も、もう一つの特性だと思います。字引で引くと、「落ち着きがなく、軽々しく騒ぐこと」とある。僕自身典型的な日本人でその傾向が強いから、身に覚えのある方も多いだろうと察してますが、何かあるとわっと騒ぎ立ち、しばらくするときれいさっぱり忘れてしまう。熱しやすく、冷めやすい。

戦後日本で亡くなった陶晶孫《とうしょうそん》という中国人文筆家の書き残した著作『日本への遺書』の中に、日本人に欠けている心情として、ユーモアとメランコリーの二つが挙げてあるそうです。昔臼井吉見《うすいよしみ》さんの評論集を読んで知ったのですが、ひっくり返すと、これは「日本人の軽躁性」ということになりますね。しかし、『阿房列車』その他の名著で知られる内田百閒《うちだひゃっけん》先生なんか、その作風を広辞苑が「人生の諧謔と悲愁を綴る」と説明している。メランコリーとユーモアのセンスをたっぷり持っておられたということでしょう。その意味で、もし陶晶孫が生前百閒先生を知っていたら、日本人に対する見方も少し違ったかもしれませんが、それでも彼の指摘は一面の真実と認めざるを得ない。

日本人の性格がどうも軽躁であると見抜いて注意を払っていた戦国武将は、武田信玄です。「主将の陥りやすき三大失観」と題した信玄の遺訓を読むと、

一つ、分別あるものを悪人とみること

二つ、遠慮あるものを臆病とみること
三つ、軽躁なるものを勇豪とみること
そう戒めています。さすが風林火山を旗じるしに掲げた武人の洞察力だと思います。風林の「林」は「徐《しず》かなること林の如し」で、軽躁の反対、静謐《せいひつ》の価値を重く見ているんですからね。

信玄の言う「軽躁なるものを勇豪とみること」は、時代が現世に近づくにつれて「失観」とも思われなくなるんですが、歴史を逆にたどって行くと、古く平安時代の説話で、やはり軽躁を戒めたものがあるのです。

清原善澄という学者の家にあるとき強盗が押し入り、家財道具一切合切を盗んで行く。床の下に隠れてそれを見ていた善澄は、どうにも悔しくて我慢ならなくなり、ようやく一味が立ち去ろうとする時、後ろから「お前たち、明日、必ず検非違使《けびいし》に届けて捕まえてやる」と罵った。怒った泥棒がとって返して、善澄は斬り殺されてしまう。この話、『今昔物語』に出ています。作者は、こう批判している。

「善澄、才めでたかりけれども、つゆ和魂《やまとだましい》なかりけるものにて、かくも幼きことをいひて死せるなりとぞ」

要するに、なかなか学識のある人だったのに、わが国固有の智恵才覚を持ち合せず、軽々しく幼稚なことを言ったばかりにむざむざ命を捨ててしまった、と――。

「やまとだましい」は明治以降、特に昭和初期の軍国時代、「大和魂」と表記されて大いに持てはやされました。「若い血潮の予科練の」で始まる西条八十《やそ》作詞の『若鷲の歌』(昭和十八年)にも、「ぐんと練れ練れ攻撃精神、大和魂にゃ敵はない」という有名な一節があります。一般には、こうした「撃ちてし止まむ」風の勇猛な精神が「大和魂」だと思われていたようですが、『今昔』が「和魂」と書いている通り、ほんとうは漢才《かんざい》に対する和魂《わこん》なんです。日本人なら持っていて然るべき大人の思慮分別なんです。対米開戦前の昭和十五、六年当時、軍の上層部や政界の重鎮たちが本ものの大和魂を保持してくれていたらなあと思いますよ。

東條の演説

国の運命を左右する要職に在りながら、「つゆ和魂なかりけるもの」の代表は、やはり東條英機陸軍大将でしょう。開戦の少し前から戦中の約三年間総理大臣兼陸軍大臣を務めたこの人に、僕は今も非常な不満と不信感とを持ってます。死者に鞭《むち》打つことはしないのが東洋の礼節かも知れないが、あえてそれを無視して不満を述べたい。

私が東大文学部の三年生だった昭和十七年、戦時下の臨時措置で我々文科系学生の卒業期が繰り上げになりました。翌年三月の予定だったのが、半年繰上げて九月に卒業式を挙げるのです。その式場へ東條首相がやって来て、祝辞のような訓戒のような一場の演説をします。当時の東大総長は軍艦博士といわれた平賀譲海軍造船中将でした。抵抗があるとすぐ灼熱《しゃくねつ》するので〝ニクロム線〟という綽名があり、平賀不譲とも呼ばれていた人ですが、その総長が来てくれなくていいと言うのを、東條がどうしてもと言って来たんだそうです。

卒業生とその父兄何千人かが着席して待っていると、陸軍大将の軍服にたくさん勲章を飾った特別来賓、東條総理が安田講堂の演壇に立ちました。日もはっきり覚えてますが、昭和十七年の九月二十五日です。演説は「赫々たる――」という例の名調子で始まり、

「諸君はこの度半年間学業を短縮されて大学を出、一般社会、或《あ》るいは軍隊へ入っていかれるのであるが、半年ぐらいの年限短縮は長い人生にとって少しの差し障りにもならないのであって、私はここにひとつの大いなる……」

と言って、突然絶句した。どうしたのかと思っていたら、

「と申しますか、一つの実例を持っておるのでありまして」

そうつづけた。つまり、自分も日露戦争の最中に士官学校の生徒で、卒業期を繰り上げられたにもかかわらず、今日ここに日本帝国の総理大臣として立っている。「大いなる」はその意味だったのです。安田講堂の中に失笑の波が拡がりましたよ。東條の肉声

を直接耳にしてるというのは、この日のことですが、こんな総理大臣、大人物じゃないなと思いましたね。

そのあとすぐ、私は予備学生として海軍に入り、やがて少尉任官、一時期東京勤務でしたから、三宅坂あたりで東條首相の車とすれちがったこともあります。海軍の一少尉と陸軍大将とじゃまるきり身分ちがいですから、そういう時は姿勢を正してきちんと敬礼しましたが、実際に尊敬の念を抱くとか、ひそかに親しみを感じたとか、そんなことは一度もなかった。何しろやることがみみっちいんだもの。

あとでもう少し詳しく話しますが、重箱の隅を突っつくようなそのみみっちさは、案外民衆に受けた。それも含めて東條に対し極めて批判的だった知識人の一人は外交評論家の清沢洌《きよさわきよし》ですね。清沢の『暗黒日記』（岩波文庫）には、こう書いてある。

「世界においてかくの如き幼稚愚昧《ぐまい》な指導者が国家の重大時機に、国家を率いたることありや――僕は毎日、こうした嘆声を洩《も》らすのを常とする。帝大の某教授（辰野隆《たつのゆたか》氏）曰く、『東條首相というのは中学生ぐらいの頭脳ですね。あれぐらいのものは中学生の中に沢山ありますよ』と」

敵性国語廃止の声が高くなり、ゴルフを今度「打球」というようになった、そんならゴルフバッグは「打球錬成袋」といったらどうかとみんなで笑った話のあと、「小児病的な現代思想ここにもあり」と書いているし、

「新聞は『米利犬《メリケン》』といい、『暗愚魯《アングロ》』といい——かくすることが戦争完遂《かんすい》のために必要なりと考えているのだ」

「大東亜戦争は浪花節文化の仇打《あだう》ち思想である」

と、新聞批判もしています。

滑稽なことが大まじめで通用していたのです。今の北朝鮮テレビの、女アナウンサーの、悲憤慷慨口調の滑稽さを、向こうじゃ誰も滑稽と思わないのと同じでしょう。ある学校の、校名に「英」の字が入っているのはよくないというので「英」を「永」に変えさせられた事例があるそうですが、そんなら東條首相の名前も「永機」に変えなきゃいかんだろうにね、それはしなかった。

高松宮様（昭和天皇の弟君）の私設情報係をつとめた細川護貞《もりさだ》さんの『細川日記』（中公文庫）にも、東條のことが度々出てきます。細川さんとは格別の縁があって生前色んな秘話を聞かせてもらってますが、一番凄みのあったのは東條暗殺未遂の一件です。

高松宮は早い時期にもう、日本の敗戦必至と見て、今後は戦争目的を如何《いか》に上手に負けるかに切り替えて行くより仕方がないと考えておられたのですが、「必勝の信念」を持つ東條が政権を握っていてはどうにもならない。ある日沈痛な面持ちで細川さんに、

「もうこうなったら東條を殺すしかないな。誰かやる奴はいないか」

と言い出されるのです。それに対し護貞さんは、明智光秀の「本能寺の変」の故事を持ち出して、

「殿下がそれを仰有《おっしゃ》っちゃいかん。しかし一旦口に出された以上、すぐ実行しなくては逆に殿下のお命が危い。やりましょう。電話をかけて、東條に此処へ来るよう仰せつけていただきたい。東條は必ずやって来ます。その時刺すのは私が刺します」

と、自分も命を捨てる覚悟で答えるのです。護貞さんは先祖の細川忠興《ただおき》から数えて十

六代目、忠興の妻細川ガラシャ夫人は明智光秀の娘という関係ですからね、この史話めいた秘話にはド迫力がありましたよ。

結果はどうなったか。御自分が言い出したことでありながら、高松宮様、すっかり考えこんでしまわれるのです。天皇の弟の直宮《じきみや》と、戦国武将の末裔《まつえい》と、長い睨み合いの末、「陛下の大命を拝して首相をつとめている者を、自分たちの手で勝手に殺すということはやはり出来ない。やめよう」

というのが結論になって、細川さんは高輪の宮邸を退出します。間もなく（昭和十九年七月）東條が、サイパン失陥の責任をとっていやいやながら総辞職しますから、以後東條暗殺を考える人はいなくなりました。実は、細川さんと親しかった海軍の高木惣吉《たかぎそうきち》少将も、車の衝突事故を起して東條を射殺することをひそかに計画していたんですがね。

とにかく政権末期の東條は、さながら征夷大将軍、この人物を葬ってしまわなくては日本の国を救えないと思いつめる人があちこちに現れるのも当然なくらい横暴で独善的でした。護貞さんの日記に、「最早東條は事実上逆賊なれば」とか、「次に東條が望むものは道鏡の地位か」とか、そういう記述がある。

局長ならば名局長

内閣を投げ出す前の五ヶ月間、東條は首相と陸相と、その上に参謀総長まで兼任するのです。明らかに違憲行為でしたが、憲法学者の表明する疑問は黙殺されます。何しろ彼の首相在任中兼務した大臣の数は、短期間で終ったものを含めると、外務、内務、陸軍、文部、商工、軍需の六省に及ぶ。こちらの兼任は憲法違反ではないけれど、その忙しさは想像を絶する。彼自身、ある意味では精励恪勤《せいれいかっきん》、よく働きました。首相官邸にいるのはせいぜい三十分ぐらいのもので、あとは各省庁を巡り歩いて、その途中街角のゴミ箱を開けてみたり、火の見櫓《やぐら》に登ってみたり、朝から晩までせかせかと動き回っていた。僕なんか新聞で「東條さん民情視察」のそういう写真を見て、これが一国の宰相のやることかと思ってましたが、戦時下の一般民衆には案外ウケが良かったのです。

今、西欧自由圏の諸国で、民意尊重は政治の基本でしょうが、尊重し過ぎると衆愚の支配になりかねない。むつかしいところですね。それでは当時、わが国の上層部で東條はどう見られていたか。物の無い時代です。「足らぬ足らぬは工夫が足らぬ」と言うくらいすべて不足がちの時世に、陸軍はアヘンの密売で金を貯めて莫大な機密費を持っていたらしい。高木惣吉少将の戦後証言によれば、重要な会議のあと、要人が帰る車の中に洋服地や高級タバコ、高級ウイスキーなど普通は手に入らないものが積んであったそうです。機密費を使って何くれと付け届けを欠かさないので、宮中筋ですら東條の評判は割と良かったといいます。

その影響をお受けになったのかどうか、陛下の東條に対する御信任も、ある時期まで大変篤かった。『細川日記』に、「何故お上がかく東條を御信頼遊ばさるゝやに就ては、一切真実を申し上ぐる者なき為ならん」と書いてあるのは、そのへんのとこを、付け届けが充分で、要人たちが口をつぐんでいたことを指してるのかも知れません。

それにつけても、東條首相の「逆賊」ぶりには大人物の風格が無いですね。所轄官庁を回っているとき、ある役所の中堅幹部が来客と話をしていたため立ってお辞儀をしなかったというので、東條がひどく腹を立て、即座に免職を言い渡したというエピソードも伝わっているし、都内を行進している陸軍の小部隊の行進の仕方が悪いと車を止めて注意したら、指揮官の少尉が東條と気づかず横柄《おうへい》な態度だったというので、すぐさま原隊へ怒鳴り込んだ話もあります。

恣《し》意《い》的な報復の実例がたくさんあるのです。一番有名なのは「竹槍事件」でしょう。昭和十九年二月二十三日、毎日新聞の新名丈夫《しんみょうたけお》という海軍担当の記者が、「勝利か滅亡か、戦局は茲《ここ》まできた」「竹槍では間に合はぬ、飛行機だ、海洋航空機だ」と一面に大きな記事を出しました。海軍は喜んでましたが、東條がカンカンに怒って、四十歳に近い新名記者を一兵卒として懲罰召集してしまうのです。同じことはのちの東海大学創立者松前重義（当時四十二歳）もやられています。東條を批判して二等兵で召集される。

口では名誉の入営、栄えある出征といいながら、実のところ軍隊に取られるのは懲役に処せられるのと同じだと証明しているんですよ。細川護貞さんは、これについても、

「海軍の計算によれば、斯《かく》の如く一東条の私怨を晴らさんが為、無理なる召集をしたる者七十二人に及べりと。正に神聖なる応召は、文字通り東条の私怨を晴らさんが為の道具となりたり」（昭和十九年十月一日）

と書き残しています。

あれから六十三年の歳月が過ぎて、人々の考え方も変って、近頃東條再評価の声がちらほら聞えて来ます。それはそれで結構です。批判に対する再批判の自由は十二分に認めなくてはなりません。昭和の陛下が信頼なさるだけの美点を、東條が備えていたのも事実でしょう。政界の一部には、「局長の仕事をさせたら名局長」という東條評があって、仕事熱心な「東條局長」は事務的にきちんきちんと、奏上すべきことを奏上していた。それが陛下の御信任を得たもう一つ別の原因だと思います。

だけどね、国民に対してはこの名局長、軍の批判を一切許さなかったのです。特に陸軍のことをかれこれ言う者は片っ端から憲兵隊へ拘留した。戦後の首相吉田茂も被害者の一人ですが、憲兵を使っての言論弾圧ぶりはすさまじいものがあった。学者や新聞記者を懲罰召集するのとこれと、どっちがどっちかというくらいひどかった。僕個人は、その人を再評価する気になんか到底なれませんね。

大体、陸軍大臣が参謀総長を兼務するというのは、明治大正昭和の憲政史上前代未聞の越権行為ですが、東條は「国務、統帥の高度の緊密化」と称して、海軍もこれに倣うようにすすめます。かねがね「東條の副官」「東條の男妾《おとこめかけ》」と部内で言われていた海軍大臣嶋田繁太郎大将が、唯々《いい》諾々《だくだく》軍令部総長を兼任して、その結果「今次大戦の天王山」マリアナ沖海戦・サイパン島攻防戦は、陸の最高指揮官東條、海の最高指揮官嶋田のもとで戦われることになるのです。東條は米兵一兵たりともサイパン島には上陸させないと強弁していたのにたちまち全島占領されてしまい、守備隊は玉砕、民間人までが大ぜい海へ飛び込んで死ぬような悲惨な事態になって、ついに陛下の御信任も失い、嶋田繁太郎ともども総辞職せざるをえなくなりました。

その後も彼は、重臣の一人として、終戦までの一年間、時々政治的重大発言をするのですが、その頃の東條を見ていて、僕が強い嫌悪感を抱いたことが二つある（「見ていて」には、戦後文筆家として色んな史料を見ていての意味もあります。為念《ねんのため》)。

一つは、辞任直後東條が予備役編入を願い出たことです。予備役編入というのは軍人としての生きた機能を失うに等しい。何故そんな願いを出したのか? 過去三年間の自分の施政の失敗を反省して、陛下と国民に詫びる思いで現役を退くというほど東條は謙遜な人柄ではなかったでしょう。細川さんの解釈では、自棄《やけ》になったか、前線に出されるのを逃れようとしたか、どっちかだろうというのですが、僕はあとの方じゃないかと思う。総理でも陸軍大臣でもなくなった現役の大将には、次、フィリッピン方面の最高指揮官に出てもらおうというような人事は、陸軍部内の派閥関係から当然あり得た。新名丈夫や松前重義にやったのと同じことが今度は自分にふりかかって来るかもしれない。それを恐れたのではないか。

二つ目は、昭和二十年四月、鈴木貫太郎内閣成立の直前、宮中表拝謁の間に於て開かれた重臣会議席上での東條発言です。

「国内がいよいよ戦場になろうとしておる現在、よほど御注意にならぬと陸軍がそっぽを向くおそれがある。陸軍がそっぽを向けば内閣は崩壊する」

今度の内閣が、もし和平を画策する内閣だったら、ただじゃすませないぞと暗に威《おど》しをかけるのを聞いて、腹に据えかねた岡田啓介提督（二・二六事件の時の首相）が、

「この大国難の秋《とき》に当って、いやしくも大命を拝した者に対し、そっぽを向くとは何事か」

食ってかかると、

「いや、その懸念がある故に、御注意願いたいということを申し上げておる」

東條はごまかしてしまいますが、自分の影響力は未《いま》だ大きい、予備役にはなったけれど、自分の意見が陸軍全体の意見だ、そう言っているように思える。

ついでにもう一つ、戦後の東條で顔をそむけたいのは、戦犯容疑者として逮捕しに来た進駐軍の将兵を待たせて拳銃自殺を試み、やりそこなって急遽手当てを受ける苦悶の表情を写真に撮られたことです。世界中に醜態をさらしたあの姿。「戦陣訓」を作って、我々若者に、

「生キテ虜囚《リョシュウ》ノ辱《ハズカシメ》ヲ受ケズ、死シテ罪禍《ザイカ》ノ汚名ヲ残スコト勿《ナカ》レ」

と教えたこの人物がと、つくづく情けない気がした。

その陸軍大将が、今、護国の神として靖国神社に祀られています。僕は信仰心が薄くて、人間死ねば無に帰すると考えているし、業績が後世に残ることは認めても、霊魂が残ってお盆にふるさとの家へ帰ってくるなんてことは信じてませんから、靖国神社参拝も殆《ほとん》どしてません。それがもしお参りに行くとしたら、二十代で戦死した同期生たちに何かを訴えに行くのであって、この機会に東條さんのみたまも拝んで来ようなんて気にはなれそうもないですね。

沈黙を守った人々

ただし、自殺やりそこないの傷が癒えて東京裁判の法廷に立って以後の東條は、なかなか立派だったと聞いています。

そもそも裁判というのは、紛争の局外に在る第三者が裁いてこそ裁判なんで、争いの一方の当事者がもう一方の当事者を裁く裁判は文明国の史上にその例が無い。裁判の名を藉《か》りた復讐劇、極東国際軍事裁判の本質はそうとしか言いようが無いんだが、その復讐劇の舞台に立って、東條は堂々と所信を表明し、日本の立場を主張し、検事の尋問に答えるにも、陛下へ累《るい》を及ぼさぬよう、充分注意していたそうです。それで、多くの人が、他のことはともかく東條さんの天皇尊崇の念は非常に強かったと思っているらしいが、果してそうだったかどうか。

かつて彼は、陸軍部内で訓示をして、

「勤王に二種あり。一つは狭義のもの、二つは広義のものにて、前者は君命是《これ》従うことにて、陛下より和平せよとの勅命あれば是従うこととなるも、後者は然らず、国家永遠のことを考え、たとい陛下より仰せあるも、先ず諫《いさ》め奉り、度々諫言《かんげん》し奉りて御許しなくば、強制し奉りても所信を断行すべし。余は是を取る」

と言っているのです。

実はこれ、「余」ひとりの考え方ではないんでしてね。陸軍第一国家第二主義、陸軍の言うことをきかぬ天皇なら強要してでも従わせろ、それでも駄目なら幽閉して、別の皇族を天皇に立てればいいというのが、長年にわたる陸軍伝統の皇室観だったのではないですか。昭和の初年には、満洲の出先あたりで、陸軍の将校連中が、「今の天皇さんにも困ったもんだ」とか、「天皇と雖《いえど》も暗愚の場合がある」とかひそかに言い合ってたものだそうです。二・二六事件の青年将校たちは、天皇絶対、と信じていたその天皇から、終始叛乱軍扱い、逆賊扱いされて、昭和の陛下に万斛《ばんこく》の怨みを抱いたまま死んで行きました。こういう体質の陸軍の大勢力が新内閣の背後にいるんだから、鈴木貫太郎首相も和平のきっかけをつかむのは大変むつかしかったでしょうね。

さて、これまで語ったところを振り返ってみると、僕は『細川日記』や清沢洌の『暗黒日記』を引用して、東條の悪口ばかり言ってますが、これは、先に述べた通り、アメリカとの「負けるに決った」戦争が始まりそうな時、大勇猛心をふるってそれを阻止する人がいなかった、国の指導者層は「つゆ和魂なかりけるもの」ばかりで、その代表格が東條首相だと思うからこの人を取り上げたのでして、日本を滅亡の淵まで追いこんだ責任者は、陸軍の各部局を始め、海軍にも政界にも言論界にも大勢います。

一方、軍の政治干与を勇敢に非難した政治家たちもいます。年代が少し溯《さかのぼ》りますが、慶応四（一八六八）年生れの衆議院議員浜田国松は、昭和十二年一月の衆議院本会議で痛烈な陸軍批判をやり、

「軍を侮辱するものだ」

と陸軍大臣の寺内寿一《ひさいち》大将から強い抗議を受ける。それに対し、

「どこが軍を侮辱しておるか。速記録を調べて侮辱した箇所があったら僕は腹を切る。無かったら君腹を切れ」

とやり返したため、陸軍が硬化し、政党と軍部対立のかたちになって、広田弘毅内閣は総辞職しました。

昭和十五年二月には、イェール大学出身の斎藤隆夫議員が有名な「反軍演説」を行った。「長すぎるぞ」と野次が飛ぶくらい長い演説だったが、要約すれば泥沼状態の支那

事変について、

「徒《いたずら》に聖戦の美名に隠れて、国民的犠牲を閑却し、曰く国際正義、曰く道義外交、曰く共存共栄、曰く世界の平和、斯《か》くの如き雲を摑《つか》むような文字を列《なら》べ立てて、千載一遇の機会を逸し、国家百年の大計を誤るようなことがあるならば、現在の政治家は死してもその罪を滅ぼすことはできない」

と断じたもので、斎藤は議会から除名されます。

浜田の腹切り問答も斎藤の反軍演説も、僕は新聞で読んで拍手を送りたい気持だったのを覚えてますが、これだけはっきり軍の批判をすれば、場合によって除名処分ぐらいではすまず、命が危なかったでしょう。海軍中将の山本五十六《いそろく》ですら、「陸軍待望の日独伊三国同盟締結に反対するのはけしからん」というので、一時期右翼に狙われていたんです。山本は、

「俺が殺されて、国民が少しでも考え直してくれりゃあ、それでいいよ」

と平然としてたそうですが、普通の人は暗殺の恐怖の前に口を閉ざしますよ。

竹山道雄の『昭和の精神史』に、「良心はやましき沈黙を守っていた」という記述があります。清沢洌は友人の政治学者蠟山政道《ろうやままさみち》に、

「他日新たに作られるであろう日本憲法に二つの明文を挿入してくれ。二つとは、言論の自由と暗殺に対する厳罰主義だ」

と言っています。実際、昭和に入ってからでも、どれだけの数の要人が殺されたか。戦後GHQ歴史課の委嘱を受けて、巣鴨収監中の元内大臣木戸幸一に度々話を聞きに行った海軍の大井篤《あつし》大佐が、ある日、

「何故もう少し早く陛下に和平を進言できなかったか」

と訊ねたら、

「そういうけど君、二・二六のあれはこたえたよ」

と、木戸が本音を洩らしたそうです。

文学者たちも、「良心」ある人はみな沈黙を守っていた。徹頭徹尾、戦争にそっぽを向いた永井荷風の『断腸亭日乗』は抜群に面白い記録ですが、これだって戦時中は公表

されませんでした。ただ、今読むとなかなか的確辛辣《しんらつ》な感想が記してある。その一例、「昭和十九年五月三十日。陰後に晴。――暴風も歇《や》む時来れば歇むなり。軍閥の威勢も衰る時来れば衰ふべし。其時早く来《きた》れかし」。

暴風のやむかすかな兆しが見えて来るのは、それより約一年後、鈴木貫太郎老提督が何とか組閣を完了した時です。多くの日本人が、直観的に、この内閣で戦争は終るのではないかと感じた。「その時」に話を戻しましょう。戻して何を言いたいかというと、総理大臣の顔つき、人間としての風格のことです。

国家の品位

第二次大戦中の英国のしぶとさを考えて、誰しも思い浮かべるのは、国王ジョージ六世の顔ではなく、チャーチル首相のあの不敵な面魂《つらだましい》ではないですか。同じように、戦う大日本帝国のイメージとして世界中の人が頭に浮かべていたのは、天皇ヒロヒトの顔より、醜くデフォルメされたトージョーの容貌だったと思います。それが少し変って来た。九年前二・二六事件で瀕死の重傷を負うた七十七歳の鈴木老首相の顔写真や似顔絵が、海外の新聞雑誌に載ることはあまりなかっただろうから、今度の場合、その人柄を示したのは顔貌ではなく、ちょっとした儀礼的メッセージですが、驚くべきことにそれが、世界の人の日本に対する印象を一変させるのです。その経緯は小堀桂一郎氏の名著『宰相 鈴木貫太郎』（昭和五十七年、文藝春秋）に詳しく書かれています。小堀さんは、「首相の持つ品位が、海外では屢〻《しばしば》国家そのものの品位として受けとられる」という言い方をしてますがね——。

鈴木内閣成立の五日後、アメリカ大統領フランクリン・ルーズベルトが急逝しました。その時鈴木首相が同盟通信を通じて出したステイトメントは、ルーズベルトの政治的功績を認め、

「深い哀悼の意をアメリカ国民に送る」

というだけの簡単なものでしたが、それが、世界各国で意外に大きな反響を呼んだ。

まず、スイスの新聞『バーゼル報知』の主筆が、

「敵国の元首の死に哀悼の意を捧げた、日本の首相のこの心ばえはまことに立派である。これこそ日本武士道精神の発露であろう。ヒトラーが、この偉大な指導者の死に際してすら誹謗の言葉を浴せて恥じなかったのとは、何という大きな相違であろうか。日本の首相の礼儀正しさに深い敬意を表したい」

と、社説で讃辞を発表したのにつづいて、アメリカ亡命中のトーマス・マンが、ドイツ国民に語りかける。

「これは呆れるばかりのことではありませんか。日本はアメリカと生死をかけた戦争をしているのです。あの東方の国には、騎士道精神と人間の品位に対する感覚が、死と偉大性に対する畏敬が、まだ存在するのです。これが（ドイツと）違う点です。ドイツでは十二年まえにいちばん下のもの、人間的に最も劣った、最低のものが上部にやってきて、国の面相を決定したのです」

マンは現代ドイツを代表する作家で、ノーベル文学賞の受賞者ですが、「最低のもの」

の支配下をのがれて、当時ロサンゼルス郊外サンセット・ブルバード近くの住宅街に、家族共々暮らしていました。その家で原稿を書き上げ、ＢＢＣを通して毎週定期的にドイツ国民向けの放送をしていたのです。

『バーゼル報知』の主筆に感銘を与え、トーマス・マンに驚きを与えた鈴木メッセージが、和平探求のひそかなシグナルであったかどうかは、今以《もっ》て不明のようですが、その人に備わる人間としての品位がヒトラーやトージョーと違うということは、他国の人にもすぐ分った。そうして、小堀さんが言うように、それがそのまま国家の品位と受けとられ、あの東方の国にはまだ騎士道精神が存在するという解釈になりました。

大都市が次々焼野原になりつつある日本にとって、まことに結構なことだったけれど、鈴木新首相の施政方針はちっともはっきりしないんです。組閣に際して陸軍の言い分を全部引き受けているから、和平を匂わすことなんか一切ない。重臣会議では卓を叩いて「理外の理」を主張し、「本土決戦をしてでも最後まで戦い抜く。利あらざる時は死あるのみ」と、東條と同じ意見を大声で述べたりする。鈴木家の遠縁に当たる小堀氏は、

「幼い頃お眼にかかって、子供心に何という立派な風格を持った方だろうと感心したのに、その人が卓をたたいて東條と同じことを言うのはおかしいと思った」と言っています。

もう一人、「どうもおかしい。鈴木さんの本心はちがうんじゃないか」と思っていたのは、政治に縁のない六十二歳の小説家志賀直哉です。直哉は、対米戦争の緒戦時、鈴木大将が家で、

「この戦争に勝っても負けても日本は三等国に下る」

と言ったということを伝え聞いていました。戦況の最もよかった頃そう見ていた人が、戦況のこれだけ悪化した今総理大臣を引き受けて、軍の要望通り、本気で本土決戦をやるつもりだとしたら、まるきり辻褄《つじつま》が合わない。軍は今にも沈みそうなボロ船で沖へ乗り出せと言う。反対すれば一層反動的になってまた二・二六事件のようなことを起すかも知れない。要求をすべて呑んだふりして、舳《へさき》だけ沖へ向けて置き、突然港へ漕ぎ入れて、鈴木さんはこのボロ船を救ったのだ。「正面衝突ならば命を投げ出せば誰にも出来

る。鈴木さんはそれ以上を望み、ついにそれをなし遂げた人」というのが、終戦を見届けたあとの志賀直哉の感想でした。言葉を変えれば、ほんものの大人の智恵と軽躁ならざる大勇猛心とを着実にゆっくり発揮した人ということになるでしょうね。

この総理大臣には、特定の人以外みな騙《だま》された。東條や平沼騏一郎や、右寄りの重臣たちを始め、外務省の和平派も、いわば身内にあたる海軍の良識派士官たちも全部ぎりぎりまで騙されていた。井上成美《しげよし》次官の密命を受けて極秘の終戦工作を担当した高木惣吉少将が、鈴木さんは昨日言ったことが今日には変わる、どこまで信用していいのかわからなかったといささか不満げに書いてますが、船を突然港へ入れるには、そこまでせざるを得なかったのだと思います。

御本人の戦後の述懐を令息の鈴木一氏がまとめた『鈴木貫太郎自伝』が単行本（昭和四十三年、時事通信社）になっていて、これは小堀氏も高く評価している自伝なので、数ヶ所引用しますから、読んでみて下さい。

「国家そのものが滅亡して果たして日本人の義は残るであろうか。ローマは亡びた。カルタゴも亡びた。カルタゴなどは歴史的にその勇武を謳われてはいるが、その勇武なる民は今いずこにあるであろう。一塊の土と化しているに過ぎないではないか。余はこのまま戦争を継続して行けば、日本の滅亡は誠に明らかなことであると常々考えていた。今日の戦局の惨憺《さんたん》たる有様は、余には理の当然で、むしろ着々として戦略の正しい推移を物語っているに過ぎないと考えられるのであった」

「いやしくも名将は特攻隊の力は借りないであろう。特攻隊はまったく生還を期さない一種の自殺戦術である。こうした戦術でなければ、戦勢が挽回できなくなったということは明らかに敗けである。だが敗けるということは滅亡するということとは違うのであって、その民族が活動力さえあれば、立派な独立国として世界に貢献することもできるのであるが、玉砕してはもう国家そのものがなくなり、再分割されてしまうのだから、実も蓋もない」

「戦争というものはあくまで一時期の現象であって、長期の現象ではないということを知らねばならない。この点に関して日本の戦争指導者は、初期においては電撃戦を唱え、三カ月で大東亜全域を席捲してみせると称していながら、太平洋の広さを忘れ、長期化し、ついには本土決戦を怒号し、一億玉砕にまで引きずって行こうとしたのである。これは、もはや戦争とはいえない。原始人の闘争にしか過ぎない」

卓を叩いて「あくまで戦う」と叫んだりしたのは、やはり鈴木さんの、一世一代の大芝居だったんだと、読者の納得が得られたかどうか。何しろ軍の強硬派は、広島長崎への原爆投下、ソ連の参戦という非常事態に直面して尚、本土決戦一億玉砕の主張を翻《ひるがえ》さなかったのです。鈴木さんは逆に、この悲惨事を好機として一挙終戦に持ち込むんですが、もしそれも失敗に終ったら、日本はどうなっていたと思いますか？　団塊の世代なんてものは、こんにち存在しないんですよ。全国各地で沖縄戦と同じ状況が繰り拡げられて、陸海軍の将兵はもとより、女子挺身隊の若い娘たちも次から次へ斃《たお》れて行く。天皇御一家は松代《まつしろ》大本営の地下壕の中へ無理矢理移されて、最後は両陛下も皇子皇女も、刺しちがえたり毒を仰いだりしてお亡くなりになる。二千年の歴史を持つ東洋の君主国は、文字通り亡び去ったでしょうね。

上手な負けっぷり

終戦の大任を果した鈴木内閣は八月十五日総辞職、次の東久邇《ひがしくに》内閣も二ヶ月で総辞職するのだが、この皇族内閣に二人目の外務大臣として迎えられるのが吉田茂です。就任に際し吉田は、都内の仮寓《かぐう》先へ鈴木貫太郎を訪ねて行きます。

初めての政界入りなので、何か御助言があれば承りたいというのが訪問目的だったようですが、ちょっと不思議な気がしますね。鈴木自身、一介の武弁《ぶべん》と称していて、政治に関しては全くの素人なんだから。陛下から「ほかに人がいない。頼む」と異例のお言葉があって、総理大臣を引き受けたのが最初にして最後、その首相役もたった四ヶ月半しかつとめていません。元駐英大使の吉田茂は、「武弁」の鈴木にどんな政治的アドバイスを期待したのだろう。おそらくそれは、普通の意味での政治工作や政策の立て方や、そんなものではなくて、それを超えた大きな見識だったのではないかと思います。

鈴木は、吉田にこう語ったそうです。

「戦争は勝ちっぷりが良くなくてはいけないが、負けっぷりも良くないといけません。鯉は俎板《まないた》の上に載せられたら、包丁をあてたってびくともしない。あの調子でどうか吉田さん、負けっぷり良くやってください」

この言葉が、総理になってからもずっと吉田のプリンシプルだったと聞いています。「戦争に負けて外交で勝った歴史がある」という有名な吉田発言がありますが、その心構えでGHQとの交渉に臨んだのも、鈴木提督に教えられたところ大きかったのではないでしょうか。ただ、昭和史にその名を特筆すべき二人の宰相、鈴木と吉田を較べてみると、片方が戦争終結の大事をなしとげたあと（吉田来訪の二ヶ月後）、千葉県関宿《せきやど》（現・野田市）の父祖の地へ隠栖《いんせい》してしまうのに対し、もう一方は敗戦国日本の再建復興という難事業を引き受けなくてはならなかった。折衝相手は実質上ほとんどがアメリカ人です。吉田は彼らと渡り合うのに、屢〻独特のユーモアを以てしました。陶晶孫が「日本人に欠けている心情」と評したユーモアのセンスを充分持っている人でした。

お濠端《ほりばた》の進駐軍総司令部へ行って、

「GHQとはどういう意味ですか」

と聞いた話があります。

「ジェネラル・ヘッド・クォーターズの略で」

と勿体《もったい》ぶって答えるマッカーサーに、

「ああ、そうでしたか、私はGo home quickly！の略かと思っていた」

と吉田外相が言い返したそうで、まんまとひっかかったマッカーサーはいやな顔をしたかも知れませんが、こんなやりとりがあって、天皇の上に立つ権力者と、段々率直な話し合いが出来る間柄になって行くのです。


終戦の年の冬、国内で相当数の餓死者が出る見込みだというので、吉田は農林省の統計をもとに米軍に食糧支援の陳情をします。ところが翌年の春になってみたら、要請の何分の一しか食糧放出をしなかったのに、ほとんど餓死者は出ていなかった。マッカーサーが吉田を呼びつけ、

「数字がまるきり違うじゃないか」

と糾《ただ》すのに答えて、

「日本の統計がそれほど正確ならあんな戦争始めなかったし、始めたとしても負けなかった」

と言ったという、これもマッカーサーの一枚上を行くエピソードでしょう。

僕の海軍時代の同期生に、外務省から出向の吉田首相秘書官をつとめたのがいて、この種の裏話をたくさん聞いてます。

週末を大磯の自邸で過ごした吉田が、まだ〝ワンマン道路〟(現在の横浜新道の一部)の出来る前のことで、閣議の時間に遅れそうになり、横浜市内をとばしていたら、アメリカの憲兵に停車を命じられた。時速何マイルだかのスピード違反だと、向うは矢継ぎ早に英語で詰問するんだけど、運転手も、同乗していた老秘書官も英語が分らない。御大が何か言ってくれればいいのに、葉巻をふかして知らん顔している。とうとう車ごと憲兵隊へ連行されるのですが、そこに日系二世の将校がいて、「この人は、日本の総理大臣じゃないか」と言うので、大騒ぎになった。憲兵隊長が部屋へ招き入れて、「なぜウチの兵隊に、自分は閣議に急ぐ日本の首相だと言ってくれなかったのですか」と訊ねたら、ようやく吉田が口を開いて、

「I can't understand American.」

——アメリカ英語で喋られても分らんよ、これ亦《また》ずいぶん人を食った話です。

こういう、機智に富んだ応対の仕方、吉田はチャーチルに似てますね。誰だったか外国の政治評論家で、吉田とチャーチルを比較して、「二人とも名門の出だし、人を人とも思わぬ頑固な保守主義者だし、確かに似ているけれど、吉田は後継者を大勢育てた、チャーチルはそれをしなかった。その点吉田の方が第二次大戦後の政治家としての実績は大きい」と評した人がありましたが。そんなら吉田学校の卒業生のうち、先生に負けぬくらいユーモアを駆使出来た人がいたかというと、一人も見当らないんじゃないですか。

僕は政界事情にうとくて、池田勇人《はやと》と同じ大蔵官僚出身の総理大臣福田赳夫を、吉田

の後継者「大勢」の中へ入れていいのかどうかよく分りませんが、この人も駄目でした。

福田首相は一九七八年西ドイツのボンで開かれたサミット会議に出席します。初日の会議の始まる前、先進七ヶ国の首相・大統領が並んで恒例の記念撮影をする。その時緊張気味だった福田首相がポケットから仁丹を取り出して口に含んだ。隣に立って見ていた英国のキャラハン首相が、

「それは何ですか」

と尋ねるんだが、仁丹といっても分かるわけないから、

「気分がさわやかになる薬」

福田さんは英語でそう説明したらしい。日本の高度成長期は一応もう終っていますが、わが国の欧州各国向け輸出過剰が依然深刻な問題にされていた時代です。キャラハン首相がすかさず、

「日本はこれ以上まだ気分がさわやかになりたいのか」

といった——。僕は新聞の囲み記事でこれを読んで面白く感じたのですが、遺憾なが

ら福田首相が何と言い返したかは書いてなかった。多分何も言い返せなかったのだと思います。ユーモアたっぷりの皮肉には、こちらもわさびのきいたユーモラスな応酬をして、笑わせながら相手に日本の立場を理解させてほしいんだけど、よほどの人でない限り、日本の秀才官僚、秀才政治家にそれは望めないでしょう。もし君が首相秘書官としてその場にいたら、横から口出してキャラハンをぴしゃりとやれたかと言われれば、僕にもそんな自信はありません。

だから、この一事を以て福田総理の業績全般を否定する気にはなれないし、晩年九十歳近い福田さんがOBサミットに力を入れて、世界の人口問題と取り組んでいたのなんか、話を聞いて感心したものです。イエス・キリスト生誕の頃二億人だった世界の総人口が、二十世紀初頭十六億になり、二十世紀の末六十四億、そのあともどんどん増えつづけて二〇五〇年には百億を超す。これだけの人間を養って行くだけの食糧は生産可能なのか。現役の政治家たちは目先のことで忙しいから、我々昔の仲間でこの問題を考えようと、キャラハンも加わって毎年開いていたのがOBサミットだそうです。

だけどその福田さんに、僕は一つだけ不満がある。昭和五十二年、日本赤軍による日航機ハイジャック事件のときの「人の命は地球より重い」という発言、あれには本当にがっかりしました。テロリストの無茶苦茶な条件を呑んで巨額の金を渡し、服役中の過激派も釈放した「超法規的措置」。勝ち名乗りをあげて姿をくらました彼らが、後日潤沢な資金を使ってどこかの国で何百人もの「地球より重い」人命を奪う挙に出たら、日本の政府は責任を負えるのか。世界中の顰蹙《ひんしゅく》を買ったのではないか。

サッチャーやブレアや、テロリストの要求に絶対屈しなかった英国の首相たちとえらい違いですが、本章はこれでおしまい、英国についての話は次の章にゆずりましょう。

第二章　英国人の見識

獅子文六さんと英国

昭和三十一（一九五六）年の暮れ、私は一年間のアメリカ留学から帰って来たものの住むに家なく、神奈川県二宮の、人の古別荘をタダで借りて当分ここで暮すことになりました。それで長男尚之五歳、娘佐和子三歳、二人の子供をとなり町大磯の幼稚園へ入れたところ、そこに獅子文六先生のお子さんも入って来ていた。大磯住まいの文六さんが六十歳にして三人目の奥さんとの間に儲けた坊やで、名前を敦夫君といいました。本来なら、〃文六マイナス我儘《わがまま》イコール・ゼロ〃といわれた気難しい大流行作家と我々如きがお近づきになれるはずがないのですが、眼に入れても痛くないこの敦夫君の、幼稚園PTA仲間として爾来《じらい》ずいぶん親しくしてもらうのです。

その結果、御家庭の事情、色んなことが分って来る。敦夫君の母親幸子《ゆきこ》夫人はもと岩国城主吉川《きっかわ》家のお姫さま。女子学習院時代、白洲正子さんやのちの高松宮妃殿下徳川喜久子嬢と同級生だったことも知りました。まことに天真爛漫なお姫さまで、高ぶったところなんか少しも無いけど、お育ちからして英国と英国の王室が大好き、それに反し、文六先生の方は若い頃フランスへ演劇の勉強に行ってフランス人を最初の妻に娶ったほどですから、フランス贔屓《びいき》で、英国については常識を大切にする凡俗の国という程度の認識しか持っていなかった。

ついでながら、文六さんの本名は岩田豊雄、生活費かせぎの読み物小説を書く時だけ、文士文豪より上の百獣の王みたいな作家という意味で獅子文六をペンネームにしたのが、いつかこっちが有名になってしまったんですってと、この種の話、概《おおむ》ねうちの女房が幼稚園の集りで聞きこんで来るんだけれど、文六先生から直接、私の聞いた話もあるし、文六作品を読んで納得した事柄もある。

それを総合して語れば、昭和二十八年、エリザベス女王の戴冠式に毎日新聞の特派員として英国を訪れて、百獣の王は一転、英国が好きになるのです。馬鹿にしていた幸子夫人のイギリス贔屓に同感の意を表したい気分になります。

ロンドンへ着いた晩、毎日新聞の支局に泊まった岩田特派員は、翌朝、支局長や若い記者たちと迎えの車に乗り込み、戴冠式の事前取材に出かけるのですが、大分走ったところで文六先生、入れ歯を忘れてきたことに気づく。「おやまあ」と皆で笑っていたら、運転手が、

「何で笑うのか？」

と訊く。この先生が入れ歯を忘れたんだ、と言うと、五十年輩の運転手は黙ってハンドルを回し、支局の前まで皆を連れ帰った。そして言うには、

「自分も義歯を入れているから、あれが無いと困るのはよく分かる。取っていらっしゃ

い」

文六さんが英国に好感を持つきっかけを作ったのはこの運転手でした。彼の役目は、一行を指定の目的地に送り届けさえすればそれで済むのに、わざわざ回り道をし、何十分か時間を無駄に費して、而《しか》も恩着せがましいことなんか一と言も言わない。こんな運転手、パリにも東京にもいないぞと、文六さんは思うのです。そのあと戴冠式までの十数日間、ロンドンに滞在して、名所旧跡より街の風物のどっしりした佇《たたず》まいや英国人の生活上の慣習、独特の気風、そんなものばかり見て歩いて、獅子文六の英国観はすっかり変ってしまいます。

「私は、イギリスという国を、食わず嫌いだったことを、認めないではいられなかった。自分が長くいたフランスばかりを、贔屓にして、イギリスを凡俗の国と、きめていたが、どうして、その土を踏んで見ると、これは、紛れもない、ヨーロッパの偉大な国だった。歴史の古さと、伝統を生かした現代生活が、フランスに見られない重厚な調和を、感じさせた。ドイツやイタリーも、歴史を背負ってるが、現代生活とバラバラのような気がして、イギリスほど、渾然《こんぜん》たる空気を、感じとれなかった。町を歩いても、こんな、ゆったりした、秩序を感じさせる、近代都市はなかった。（これは、よほど、大人《おとな》の国だな）」

右は文六先生最後の大作『父の乳』の一節ですが、引用箇所のあとにも、念を押すかのように、

「私は、この国の人が、親切だとか、重厚だとかいう前に、どうも、大人の集りなのではないかと、考えることが、多くなった」

と書いている。

七月末、特派員役を果して帰朝した文六先生は、留守宅のお姫さまに、「それ御覧遊ばせ。英国は素晴らしいわよって、わたくしがいつも申し上げてた通りでしょ」、そう言われて返す言葉が無かったはずです。この時夫人は妊娠五ヶ月目でした。やがて生れてくる男の子を敦夫と命名するのは、倫敦《ロンドン》で妻の懐妊を知ったからでもあり、ロンドンがなつかしかったからでもありましょう。

ベントン虐殺事件

さて、獅子文六一家の話はこのくらいにして、大人の国英国の英国たる所以《ゆえん》を少し別の視点で考えてみるとしたら、恰好《かっこう》な参考材料になりそうな「ベントン虐殺事件」なるものがあります。一九一五年当時イギリスはメキシコに油田を持っていましたが、利権回復を叫ぶメキシコ人群衆の手で工場が焼打ちされ、支配人のベントンは虐殺されてしまう。英国政府は居留民保護の名目で軍艦を派遣しようとしますが、モンロー主義アメリカの強い反対に遭ってそれを撤回する。議会は喧々囂々《けんけんごうごう》の議論になり、

「それでは今後、居留民保護のためにいかなる処置をとるのか」

と質問を受けて、外相のエドワード・グレイが、

「いかなる処置もとりません」

と答える。駐英大使館の参事官だった幣原《しではら》喜重郎は、グレイの一風変った答弁に興味

を感じ、翌朝ロンドンの新聞を各紙読んでみて、びっくりするのです。

幣原は日本敗戦後、東久邇内閣の次の内閣を組織する人ですが、政治家というより、もともと外交官でした。「別の視点で」とは、のちの総理大臣幣原外務参事官の眼に英国がどう映じていたかということです。彼の著書『外交五十年』（昭和四十九年、原書房）の中に、次のような感想が見出せます。

「驚いた事には、政府側の新聞も、反対側の新聞も、筆を揃えて、流石《さすが》はグレーにしてあの答弁が出来る、これがイギリスの執り得る唯一の方針だといって、賞賛の辞を列ねた。何をグレーが賞賛されたのか判らない。ちょうど知合いの新聞記者が来たからその話をして、『昨日のエドワード・グレーの答弁に対して、各新聞が悉《ことごと》く賛成しているが、もし僕らの国において、外務大臣があんな答弁をしたら、その晩のうちに殺されてしまうだろう。これはどういう訳だ』といったら、その記者先生、『当り前じゃありませんか。こんな事件でアメリカと戦争が出来ますか』ピシャリと参った。なるほど、戦争が出来なければ、ワイワイ騒ぐだけ醜態だ。かえって英国の国威を失墜する。だから黙っている方がいい。そういう常識で考えれば、グレーの言うのが当り前だと、こういうのであった。

イギリスの一般国民が、いかに外交上の問題について常識をもっているかということは、この一例でも判るが、それは日本なんかでは想像も出来ない。イギリスの外交官が国際場裡で光っているのは、一般国民にこの常識があって、大局を見ており、これを押して行けばどうなるかと先を見る。そうすれば余計な喧嘩をしては詰まらんという気になる。その見限りの早いことは驚くべきものがある。このイギリス人の常識ということを考えると、そういう国民ならば、外務大臣はどんなに仕事がやり易いだろう。私らがそんな答弁をやっていたら、もう二、三度は殺されていたろうと思うと、この点は羨《うらや》まずにはいられない」

その、羨むべき外務大臣サー・エドワード・グレイにも、『Twenty-Five Years, 1892—1916』と題する回顧録（一九二五年）があって、石丸藤太訳の日本語版『英国外交の二十五年』（大正十五年。石丸は軍機保護法に触れて一年六ヶ月の懲役に処せられ、失官した兵

学校二十九期の海軍少佐）を読むと、味わい深い言葉がいくつも出て来ます。例えば、

「如何なる国に対しても決定的弁護は与えないし、また決定的非難も与えない」

――これは第一次大戦を挟んでイギリス外交を主導し祖国に勝利をもたらした人が、英仏は何をやっても絶対善、独墺は完全な悪、そんな見方を自分はしないと言っているのではないでしょうか。第一次大戦が終わったあとの日本に対しても、

「日本のごとく過多なる人口の捌口《はけぐち》として領土の必要を感ずるものが、もし西洋諸国の中にありとせば、この目前の好機、第一次大戦で勝ったという時に日本のごとく自制しえたか否かは疑問である」

と公平な好意的見解を示しています。

幸福であるための四条件

「実に典型的な英国紳士であった」とは、幣原喜重郎のグレイ評ですが、その人柄、品

格、見識に親しみを抱いた日本人が、私の知る範囲で少くとも三人いる。

一人は慶応の元塾長小泉信三先生。戦後の自著『読書雑記』の中に、「エドワアド・グレイ」という一章を設けて、今は亡き「英国紳士」を追慕しています。グレイが、人生の義務を重んずるとともに人生の悦びを大切にしたこと、鳥を愛し樹木を愛し、釣りが好きで園芸が好きで、自然の静かな美しさほど人生に大きな悦《よろこ》びを与えるものはないと考えていたことなど、詳しく書いてある。

もう一人は我が師志賀直哉。小泉信三から『読書雑記』を贈られて、読んでグレイの言ってることに感心するのです。グレイは、人間が幸福であるための条件を四つ挙げていた。

第一、自分の生活の基準となる思想。

第二、良い家族と友達。

第三、意義のある仕事。

第四、閑を持つ事。

「これらの条件の中で、閑を持つ事、というのは人はそれ程大切な条件と思わず、見落すかも知れず、面白く思った。僕達などには、或る意味で、退屈ということは必要だ。──朝から晩まで閑なしに、働いたり、一つ事を考えているようでは困る」

直哉は昭和二十四年、随筆「わが生活信条」にそう書いています。

三人目は昭和の天皇さまです。百二十四代目の天皇となる皇孫迪宮《みちのみや》裕仁親王は明治三十四（一九〇二）年、二十世紀最初の年のお生れですが、偶〻《たまたま》この年、セオドア・ルーズベルトがアメリカ合衆国の第二十六代大統領に就任します。野鳥に詳しいルーズベルトは、大統領在任中英国へ渡って、外務大臣のエドワード・グレイに迎えられ、二人で小鳥の声がしきりに聞えて来る静かな林の中の散策を楽しみました。話題は専ら鳥のこと、外交交渉なんか一切しなかった。

その頃裕仁親王はまだ御幼少でしたが、二十歳《はたち》のとき（大正十年）、お召艦「香取」に乗艦、ヨーロッパ各国を回る旅に出て英国流の自由にふれ、英王室の在り方を学び、強い感銘を受けられます。グレイとルーズベルトの小鳥会談のことをお知りになるのも、この御旅行中ではないかと推察するのですが、類《たぐ》い稀《まれ》な佳話として生涯度々側近にこれを語られたと、入江相政《すけまさ》侍従長の著書『いくたびの春』（昭和五十六年、TBSブリタニカ）に出ています。

エドワード・グレイ卿は一九三三（昭和八）年七十一歳で、日本の大々的大陸出兵なぞ知らずに世を去るのですが、そのあとあらわれた「典型的」な英国の政治家を一人挙げるとすると、やはりチャーチルでしょうね。一九四〇年五月、ナチス・ドイツの軍隊がオランダ、ベルギーへ侵入したのと日を同じうして挙国内閣を組織し、第二次大戦終結の直前まで首相をつとめます。だけど、サー・ウインストン・チャーチル、実は第一次大戦当時、すでに海軍大臣だったんですよ。アスキス首相の下でグレイ外相と席を並べていたんだけど、それがダーダネルス作戦失敗の責任を負わされて大臣の職を去り、陸軍の一将校として西部戦線へ出て行くことになるんです。その頃のチャーチルについてまた一つ、小泉信三先生お気に入りのエピソードがあるんでしてね。

ドイツ軍と対峙している冬の塹壕の中は、寒くてたまったもんじゃない。前線の英軍将兵は飲酒厳禁なんだけど、チャーチルの大隊でも、みんな日が暮れるとウイスキーかシェリーの瓶をあけてこっそり飲んでいた。ある晩そこへ突然聯隊長の大佐が巡視に入ってきたので、慌てた若い士官が、あけたばかりのシェリーの瓶に手早く蠟燭《ろうそく》を立てて燭台《しょくだい》にしてごまかしてしまう。大佐は気づかなかったようで、何も言わずに帰って行ってくれる。それから何週間か経って、帰国休暇を許されたその若い士官がロンドンの陸軍将校クラブ、日本で言えば偕行社へ、飯食いに入ったら、偶然先日の聯隊長も来ていて、ばったり顔が合う。聯隊長の大佐は若い士官をバーへ誘い、ボーイにシェリーを二杯註文して盃挙げて言うには、

「君、このシェリーは蠟燭の匂いせんよ」。

「この大佐がどんな経歴の軍人か知らないが、明らかに大人の智恵を持った人だった。日本人に、知識（knowledge）はもう十分ある。欠けているのはこういう智恵（wisdom）だ」

というのが小泉さんの結論です。日本の軍隊だったら塹壕の中で即ビンタ、でなけれ

ばくだくだと長いお説教でしょうが、三つのうちどれが一番効果的か。うまくごまかせたと思っていた青年将校にとって、「蠟燭の匂いせんよ」は、鉄拳制裁の百倍分ぐらいこたえたんじゃないでしょうか。実利的というなら、やり方がまさに実利主義的なんです。

若き日の小泉信三は、獅子文六さんと同様、一時英国より大陸ヨーロッパの方に関心が向いていたのですが、結局、伝統尊重実益重視の国イギリスで経済学を学んだ。それが良かったと回顧して次のように言っています。

「青年の私は初めてイギリスに来て、やはりこれが礼譲ある民というものだろうと思うことが多かった」

「イギリス人の俗物性や偽善性なるものを掻き立てて指摘することはたやすいだろうが、治にも乱にも、彼らが何か守るところを持《じ》してたやすく動かない国民であるとの印象はかわらない」

軽躁の反対だということですね。

その好例は、第二次大戦初期、英国が最も苦境に立たされていた頃にも見られます。ヨーロッパでダンケルクの敗退、東洋で「プリンス・オブ・ウェールズ」沈没、シンガポール陥落、それでも彼らはそんなに動揺しなかった。シンガポールを占領した日本軍の将校が、押収したビスケットの缶をあけてみたら、「Britannia, rule the waves」という有名なフレーズをちょっとだけ変えて、「Britannia still rules the waves」（英国は依然波濤を制す）と、still にアンダーラインを引いた守備部隊激励用の紙片が出てきたそうです。

ユーモアとは何か

そんな風で、「何か守るところを持してたやすく動かない国民」だから、万事日本人のように手っ取り早くはいきません。英国の市民墓地へ夜入ると、墓石の下から笑い声が聞えて来るという怪談がある。英国人は反応が鈍いので、生きてる時聞いたおかしな話のおかしさが死んでから分って笑ってるんだと、これはむろん彼ら自身の作り話。

議会でイングランド出身の議員が、スコットランド人を侮辱する演説をした。こっちは実話。

「イングランドでは馬しか食わない燕麦《えんばく》（oats）を、スコットランドでは人間が食っている」

この発言にすぐさまスコットランド出身の議員が応じた。

「仰有る通りなり。だからスコットランドの人間が優秀で、イングランドの馬が優秀なのです」

日本の国会だったら前者の差別発言、ただでは済まないでしょうが、ロンドンの議会は、爆笑で終わったといいます。英国の国民性に、重厚さを貴《たっと》ぶ一面とユーモアを大切にする一面があることは、注目に値するのではないですか。

藤原正彦さんが十六年前に新潮社から出した『遥かなるケンブリッジ　一数学者のイギリス』（現・新潮文庫）は僕の愛読書で、何遍も読み返してますが、それはこのケンブリッジ滞在記が、英国人のセンス・オブ・ヒューモアという意外にむつかしい問題を考えるのに、大変参考になるからです。

藤原さんが文部省の在外研究員としてケンブリッジへ着いて間もなく、リチャード・コリンズと名乗る数学科講師がひょっこり研究室へあらわれ、四方山話《よもやま》の途中、不意に真顔になって、

「イギリスで最も大切なものはユーモアだ」

と言った。この言葉は藤原在外研究員の頭の隅にひっかかり、何故大切なのか、そもそもユーモアとは何か、それを統一的に説明することは可能か、数学者らしく相当突きつめて考えてみたらしい。得た結論が『遥かなるケンブリッジ』の最後の章に書いてある。僕流に要約しますと、ユーモアには pun と呼ばれる駄じゃれの類いから、辛辣な皮肉や風刺、ブラックユーモアまで、多種多様な形があって、英国のある種のユーモアなど、英国紳士の生活や感覚を知っていないとそのおかしさが分らない。だけど、ユーモアの複雑多岐な形を貫いて、一つ共通することは、「いったん自らを状況の外へ置く」

という姿勢、「対象にのめりこまず距離を置く」という余裕がユーモアの源である。

真のユーモアは単なる滑稽感覚とは異なる。人生の不条理や悲哀を鋭く嗅ぎとりながらも、それを「よどみに浮かぶ泡《うたかた》」と突き放し、笑いとばすことで、陰気な悲観主義に沈むのを斥《しりぞ》けようというのだ。それは究極的には無常感につながる。英国人にとってユーモアは、危機的状況に立たされた時最も大きな価値を発揮する。――まあそんなところでしょうか。

これからあとは、『遥かなるケンブリッジ』の引用ではなく、ごく最近著者が直接私に語ってくれたことですが、三十人くらいのイギリス紳士にリチャードの言葉を伝えて、どう思うかと聞いたら、全員が「アイ・アグリー」だったそうです。

「びっくりしましたね。どんなに頭がよくても、家柄がよくても、人格が高潔でも、ユーモアがないと紳士の資格がないと言うんです」

と、藤原さんは言ってました。

第三章　東洋の叡智、西洋の叡智

武士道とジェントルマンシップ

満一年間のケンブリッジ生活を終え、妻子と共に帰国した数学研究員にとって、「英国人とユーモア」は生涯頭を離れぬ哲学的宿題になったようですが、もう一つ、この人が生涯かけて大事にするつもりでいるものがあって、それは日本の武士道です。卑怯な真似をするな、嘘をつくな、弱い者いじめを許すなが藤原家代々の家訓で、あんまり始終言うから奥さんに時々、

「武士々々って何よ、信州の足軽じゃないの」

とからかわれるらしいけど、足軽でも、父祖の家には三畳の「切腹の間」があった。不名誉な行いをしたら腹を切れということだった。

武士のその心構えを広く世界に知らせたのは、十九世紀最後の年（一九〇〇）新渡戸稲造がフィラデルフィアで刊行した英文の『Bushido』。副題は「The Soul of Japan」となっています。つまり「日本人の心」、今昔物語の「和魂」にも通じるし、英国のジェントルマンシップにも通じるもの、それが本来の武士道精神でしょう。

ただし、武士道にユーモアの要素は入っていません。古くは万葉集が、持統天皇の御製「強《し》ふる志《し》斐《ひ》のが強《し》ひ語り」や、大伴家持の「むなぎ漁《と》り食《め》せ」や、数々のユーモラスな歌を収めており、中世、すぐれた笑いの演劇狂言があり、江戸時代になると落語という世界に類例のない一人話芸の名人上手があらわれるし、川柳、狂歌、黄表紙、笑いの花ざかりの様相を呈するのに、何故か武士階層は諧謔を無視した。少くとも重んじようとはしなかった。

その代わり、という言い方は変だけど、武士の家では静謐が貴ばれました。柴五郎がそのことを語っています。五郎は、明治十年代に政治小説『佳人之奇遇』を書いて文名を挙げた東海散士柴四朗の弟です。石光真人編著『ある明治人の記録　会津人柴五郎の遺書』が中公新書に入っていますから、これを参考にしながら、柴五郎について少し話してみましょう。

彼は禄高二百八十石の会津藩士の五男坊で、十歳のとき戊辰戦争に際会し、たいへんな苦難を味わいます。祖母、母親、姉、妹の四人が鶴ヶ城落城の日に自決、助かった父親も朝敵扱いで南部の荒蕪地《こうぶち》へ追いやられ、五郎は父と一緒に畑を耕したり、東京へ出て丁稚《でっち》小僧をしたり、それこそ食うや食わずの苦労を重ねたあと、奇妙な縁で、薩長政府の作った陸軍幼年学校に入り、そこで才覚を認められて以後、陸軍の軍人として段々頭角を現すのです。義和団の変（一九〇〇年）のときには清国公使館付武官の砲兵中佐になっていました。

義和団というのは、どう説明したらいいか、幕末日本の攘夷派をもっと神がかりにしたような連中の大集団で、「扶清滅洋」を唱えて各地に暴動を起し、北京では公使館地区を包囲封鎖してしまったので、各国の外交官、武官、みな外部との連絡が取れず、籠《ろう》城《じょう》の余儀なきに到ります。この事態に対処して、最も沈着冷静な働きを見せたのは日本陸軍の駐在武官だと、事件解決後柴中佐は諸方面から絶賛されました。

一方、暴徒鎮圧のため、日、英、米、露始め八ヶ国が連合軍を編成して北京へ向うのですが、その八ヶ国の中でも、日本の軍隊は大変評判がよかったのです。ほかの国の兵士たちが、略奪強姦、相当やってるのに、日本軍は軍紀厳正、一切それをしなかった。英国の代表紙『タイムズ』が、「当時北京に代表権を持っていた諸外国のうち、日本人ほど男らしく困難極まる任務を全うした国民は他にいない」と書いています。

海外諸国の日本再認識、特に英米でのこんな対日好感情を、誰がいつどうやって逆転させてしまったのか、思えば溜め息が出そうになるけれど、これはまあ、余談の部類、柴五郎が武士について、武士の家庭の礼儀作法についてどう語っているかを話さねばなりません。

「近来、武士といわば、すぐ大声を発し、酒飲みて狼藉し、斬り棄て御免のごとく伝うるものあるも、はなはだしき誤りなり。かかるものは浪人の成れの果てか、やくざに類するものにて、武士一般を語るものにあらず」

「(維新前の柴家は) 兄弟姉妹はなはだ多く――大家族なれど、躾《しつけ》きびしく家内騒がしきことなかりき」

「(藩の規律もやはりきびしくて) 寒けれども手を懐にせず、暑けれども扇をとらず、はだぬがず。道は目上にゆずり片寄りて通るべし。――おくび、くさめ、あくびなどすべからず」

いずれも『ある明治人の記録』からの引用ですが、最後の「おくび、くさめ」云々なんか、英国上流階層の行儀作法と似てますね。オックスフォードだかケンブリッジだかの学生は、人前でくしゃみが出そうになった時、どうやって抑え込むかを教えられると聞いたことがあります。

柴五郎はイギリスが好きだったのだろうか？　よく分りませんが、この「明治人」は明治年間に都合三回英国駐在をしています。英国に学ぶところ少くはなかったでしょうね。「朝敵」の出でありながら大将まで昇進するんだけど、昭和陸軍の、ナチスに傾倒した大将たちとは、はっきり違いました。

『遺書』の編者石光真人は、晩年の柴翁が、「近頃の軍人は、すぐ鉄砲を撃ちたがる、国の運命を賭ける戦《いくさ》というものは、そのようなものではない」と言うのを聞いているし、大東亜戦争初期、

「この戦は負けです」

と言ったのも覚えている。だけど実際に勝ってるんだからと反論しても、

「いや、負けです」

前言を繰返すだけだったそうです。事実そのあとは、各戦線で敗退につづく敗退、餓死、全滅、ついに日本が降伏するのを見届けて、昭和二十年九月、翁は自決を図り、果せず、その年の十二月、八十六歳で世を去りました。

日露戦争までの日本の国軍は立派であった。敵将クロパトキン将軍ですら回顧録の中

で、世界まれに見る軍隊と賞揚しているのに、こんな酷《ひど》い状況になった主因は、武士道の廃頽《はいたい》だと、石光が亡き柴大将の胸中を代弁するような感想を著書の後半に書き添えています。

大人の文学

さてこのへんで、武士道と会津人柴五郎とから一旦離れて、英国の英国らしさを私に教えてくれた先輩たちを生年順に列挙すると、小泉信三（一八八八）、獅子文六（一八九三）、福原麟太郎（一八九四）、池田潔（一九〇三）、大体この四人。全員明治生れです。そのうち小泉先生と文六先生についてはすでに触れましたが、福原、池田のお二人に未《ま》だ触れていません。大学で講義を聴講したとかお宅を訪ねたとか、そんな個人的関係は何も無いんだけど、両先生の著作は、英国流大人の智恵を知る上に逸すべからざる現代の古典だと、かねて思っていたので、そちらへ話題を転換します。

と言っても、池田潔先生の『自由と規律―イギリスの学校生活―』(岩波新書)は、章をあらためて紹介する予定ですから、まずは福原麟太郎先生の「叡智の文学」、わが国における英文学研究史上、劃期《かっき》的な名篇と高い評価を得たこのエッセイは、『新潮』昭和十五年一月号に発表され、同年九月研究社から出版されました。これと、戦後に書かれた「イギリス人のヒユマー」とを併せ読めば、福原さんの文学観が概略理解できるはずです。

先生の解釈によれば、英文学の精華はその詩歌にあると共にその随筆にある。随筆の特質は知識を書き残すことでなく、意見を吐露することでなく、叡智を人情の乳に溶かしてしたたらせること、叡智とはwisdomの訳語、人生の経験を種々通りぬけ、人情の機微も分る年齢に達した人が語る滋味に富んだ言葉がウイズドムの結晶、大人の文学、叡智こそ人間の行為を中庸と妥協に導く光であるというのですが、小泉先生の「knowledgeよりwisdom」を思い出しますね。

われ愚人を愛す

そんなら英国人の叡智を代表する作家は誰か？　福原さんが挙げているのはチャールズ・ラムです。ラムの人間観は、「I love a fool.」（われ愚人を愛す）という短い言葉につきるんだそうですよ。人間は愚かであるからこそおかしく、悲しく、愛すべきものだと考えていたことが、『エリア随筆』の中に示されている。少し馬鹿なところのある人の方が友人としても信頼しうるものを持っている、剃刀《かみそり》のように切れる人は警戒すべきだ、ラムはその信念を終生変えなかった。福原先生のお好きなラムの随筆の一つは「蘇った友」。

詩人で奇人のジョージ・ダイヤーという友達が、ラムの家へ遊びに来ての帰り、家の前の小川に落っこちた。悲鳴を聞いてみんな出て行き、気を失っているのを助けあげて医者を呼ぶやら大騒ぎの最中、ダイヤーが何かぶつぶつ言い出した。濡れた自分の靴のことなんです。

「あれを日向《ひなた》に干すとひび割れるから、かげで乾かしてくれよ」

――自分自身、濡れた靴を乾かそうとするとき、いつも大好きなこの話を思い出して、そのおかしさをなつかしむと、福原さんは言っておられます。

もっとも、英国にはラムより二百年前、大作家シェイクスピアがあらわれて、劇中人物に同じことを言わせている。喜劇『真夏の夜の夢』に出てくる妖精パックの有名なセリフに、「人間というのは、なんと馬鹿なものでしょう」というのがある。叡智と馬鹿とはまるきり正反対のように思えますが、人間の愚かさをいとおしむのがすなわち英国人の叡智で、古今を通じて変らぬ伝統的考え方なのでしょう。

だけど福原先生は、「叡智の文学」を英国にだけ固有のものだとは言っていません。日本を含めて東洋にも広くあった、芭蕉の「道のべの木槿《むくげ》は馬に食はれけり」など、叡智の上を行っている、ラムもモンテーニュも及ぶところでない、また『論語』のごとき、これを聖典としてではなく、ある優れた人間の伝記的言行録として見れば実に面白い随筆文学だ、そういう見解だったらしい。確かに、為政篇第十七節の「知ルヲ知ルト為シ、知ラザルヲ知ラズト為ス、是《コレ》知ル也」の「知」なんか、wisdom そのものですからね。

静かに過すことを習へ

その、東洋の叡智も知る福原さんのロンドン留学は昭和四年、ロンドン軍縮会議の前年で、大英帝国の威光、未《いま》だ大いに振るっていた頃ですから、三十五歳の在外研究員は、「英文学の精華」のみならず、他に多くの大人の智恵を学んだでしょうが、感銘を受けたものの一つは、英国人の、自然のままの自然を愛する静謐な暮しぶりではなかったかと思うのです。今、私が手もとに置いている『福原麟太郎集』は昭和五十六年弥生書房刊『現代の随想 11』(河盛好蔵編)、これの巻頭に、福原先生が墨で書いた色紙の写真版が入っていて、

静かに過すこと
を習へ
古聖のことばなり

そのあとに署名がしてある。この本の出来上るのを待たず、同年一月福原さんは亡くなりました。偶然柴五郎の没年と同じ八十六歳でした。「古聖」が誰か、日本の仏僧とも西欧の哲学者とも分らずじまいになりましたけど、「躾きびしく家内騒がしきことなかりき」柴家と、「静かに過すこと」を習おうとした英文学者の家庭と、似ているような気がするのです。これ亦、和魂と英国のジェントルマンシップとが通じ合う一例かも知れません。

それにつけても、僕らより一と世代二た世代前の学者文人のうち、英国に学んで反英派になって帰ってきた人は、むろんいるけど比較的数が少い。イギリス心酔派になった人の方がはるかに多かった。獅子文六先生なんか、あんな気むずかしい小説家が、たった二ヶ月でころりと参ってしまったんだから、あとは推して知るべしです。

では、大人の国英国の歴史は唯々御立派、近年日本が周辺諸国から咎《とが》め立てされているような「残虐非道」、外でちっともやってないかというと、とんでもない。

ドーヴァー海峡を渡った英国紳士は紳士でなくなるという諺《ことわざ》があります。清国の廉吏林則徐の、密輸阿片没収焼き捨てをきっかけに、英国議会が九票の僅差とは言え開戦を決議したのが、日本真珠湾攻撃の百一年前です。阿片戦争、結果はイギリス陸海軍の大勝に終り、清国側は香港を割譲させられる。一八七七年にはビクトリア女王がインドの女帝を兼ねて、インドも完全な英領になる。日章旗は血で汚れているなんて言うけれど、ユニオン・ジャックの汚れ方はもっとひどいですよ。それなのに心酔者が出る。英国人の方も、歴史上の善悪正邪に関してはいやに超然としている。日本のように軽々しく謝ったりはしない。

一九九七年香港返還、最後の総督が本国へ引揚げる時、イギリスの皇族、政庁の役人、「百五十五年間の主権侵害を詫びる」と言った人が一人でもいましたかね。「治にも乱にも、彼らは何か守るところを持してたやすく動かない」と小泉先生が評する所以で、そのへんに大人の国の不思議な魅力があるらしい。

インド独立運動の指導者ガンジーが、

「二度と外国の植民地にはなりたくないが、どうしてもならなくてはならないならもう一度英国を選ぶ」

と言ったそうですよ。

（追記。英国ウィンチェスターの大聖堂内に『釣魚大全』の著者サー・アイザック・ウォルトン〈一五九三－一六八三〉の墓と彼を記念するステンドグラスとがあって、絵ガラスの裾に一行「Study to be Quiet」と文字がはめこんであるそうです。福原麟太郎先生の「古聖のことば」は多分これを引用されたのであろうと、札幌大学名誉教授斎藤和夫氏から御教示を受けました。ただしこのことばは、古く新約聖書のパウロ書簡集「テサロニケ 一」の第四章にも見出せるので、古聖がウォルトン卿か使徒パウロか、斎藤教授もとみには断定しかねる御様子でした。後手ながら、そのことを読者へお伝えしておきます。）

第四章　海軍の伝統

精神のフレキシビリティ

この章では海軍について語るのですが、実は少し語りにくい。何故なら、戦後の文筆生活六十年間、僕はずいぶん海軍ものを書いて来た。旧作の焼直しのようになるのは好ましくないと思うから。それともう一つ、海軍を語るとすれば英国を語らざるを得ない。これ亦前章前々章の焼直しになりはせぬか。なるかも知れないけど、御免蒙《こうむ》って敢《あえ》て語ることにします。

フランス文学者の河盛好蔵先生に、「私の戦争協力」というエッセイがあります（『私の随想選』第七巻所収、一九九一年、新潮社）。大戦末期の一年半、海軍大学校の研究科事務嘱託として海軍に勤務した思い出の記です。昭和十九年の一月、目黒の海大へ初出勤して、河盛先生はどんな印象を受けたかが、次のように書いてある。

「初めて見る大学校の校舎が、いかにもどっしりとした建物で、椅子やテーブルなどの調度も、みな大ぶりで、がっしりとして、底びかりをしているのが私の気に入った。ひと口でいうと、よろずイギリス風なのである。日本の海軍がイギリス海軍を学んだものであることが、初めて実感として私に分った。私が今でも日本海軍に郷愁をもっているとしたら、それはあのイギリス的なものにもとづくところが多いことを私は感じる」

これは、戦時下外部から海軍に入った二年現役の主計科士官、僕たちのような予備学生、軍医や造船科の士官、みなひとしく感じたことで、戦後何十年経っても、河盛さんと同様、亡んだ海軍に郷愁を覚える原因となっています。あの当時の日本にも、英国風の良識所持者は少なからずいたんだけど、非国民と言われそうで、表には出しにくかった。それだけに海軍の「イギリス風」が新鮮だった。祖父の代から海軍というような家庭では、別に珍しいことじゃなかったんですが、国民の多くは、河盛さんがそうであったように、戦争になって初めて、海軍独特の気風が多少分って来たんだから。

海軍の持っていた「イギリス的なもの」の一つはユーモアです。僕ら同期生五百人、海軍の基礎教育が始まってすぐ渡された「次室士官心得」、これは一般の会社で言えば新入社員心得帖みたいな冊子ですが、おしまいの方に五十項目のモットーがついていて、

「ユーモアは一服の清涼剤」

というのが入っていました。

「ユーモアを解せざるものは海軍士官の資格なし」

これもよく聞かされた言葉です。

近代日本の国家機関のうち、幹部職員にユーモアの必要性を説いた唯一の組織が帝国海軍ですが、ユーモアと並べて海軍の重視したものに、精神のフレキシビリティがあります。清沢洌は『暗黒日記』に、

「政治家に必要なのは心のフレキシビリチーである。その屈伸性を近頃の軍人政治家は全く欠如している」(昭和十八年十二月六日)

と書いてますが、海軍の「軍人」を無視したのか、最近は海軍も心の屈伸性に欠けてると言いたかったのか、どっちとも判じかねるけど、少くともよき時代のよき伝統が守られていた昭和十二、三年頃までの海軍では、江田島の兵学校へ入って来た三号生徒(一年生)が教官や上級生にまず言われたのは、

「貴様ら、アングル・バーじゃダメだぞ。フレキシブル・ワイヤーでなくてはいかん」

ということだったそうです。

アングル・バーというのは橋梁工事の現場などで見かける太い鉄材で、英和辞典に「山形鋼」と出ている、見た目は立派ですが、そのもの自体としては格別の働きをしません。それに反し、フレキシブル・ワイヤーは、商船でも軍艦でも使うダランとした鋼線で、一見だらしなく見えますが、何十トンもの重量物を上下左右自在に動かすことができる。

「海軍に入った以上、体のこなしも物の考え方もあのワイヤーのように柔軟であれ」

と教えられたんです。

ラッパのひびき

その一方、色々やかましいことも言いました。時間については特にやかましかった。皆さん、「五分前の精神」というのを耳にしたことがおありだと思います。「両舷直整列」、「露天甲板洗ヒ方」、何か作業の始まる五分前には、準備万端ととのえて、定位置に待機していなくてはならなかった。五分あれば、万一不測の事態が起っても大体対処できる。

昭和の初年でしたか、英国の練習艦隊が横浜へ入ってきたとき、日本の某提督が旗艦を儀礼訪問して、一人の候補生を捕まえ、君に今ロンドン転勤の命令が下ったら何分後に出発できるかと質問したら、

「Five minutes, Sir.」

と候補生が答えたという話があります。どこの国の海軍でも、「五分」が一つの時間単位だったようです。

その「五分前」をちゃんと守れず、時間ぎりぎり駆けつけるならまだしも、はっきり遅刻したら、これは処罰の対象になりました。一番いけないのが、「後発航期」といって、自分の艦が出港するのに乗りおくれた場合、軍法会議にかけられて重罪に処せられる。陸上の部隊でも、帰隊時刻おくれはそれに準ずる扱い方をしておった。それじゃあ、一分おくれても三十秒おくれても処罰されるのか。

僕の友達で、僕と同年輩の松永市郎という海軍士官がいました。残念ながら一昨年亡くなりましたが、兵学校を出た本ものの海軍兵科将校です。この人が還暦近くなってからものを書き始め、『思い出のネイビーブルー』(光文社NF文庫)という著書を残しています。その一節「ラッパのひびき」を紹介しましょう。

松永さんは昭和十六年春、少尉任官、軍艦「榛名《はるな》」乗組を命ぜられ、さあこれから部下を引きしめて厳正な艦隊勤務をしようと張り切っていた。その張り切り少尉に、三期先輩のS中尉が、「ある海兵団で」という話をしてくれるんです。

ある日ある海兵団で、外出員の帰隊時刻が刻々迫っているのに一人帰って来ないのがいる。当直将校がやきもきしながらふと眼を上げたら、はるか彼方から息せき切って走ってくる水兵の姿が見えた。だけどこの距離では到底間に合いそうもない。その時当直将校がいきなり、

「信号兵、ラッパの手入れはいいか」

と聞くんだそうですよ。

「ハイッ、すぐ確かめます」

ラッパ手はラッパの吹き口を抜いて掃除を始める。時計の針が帰隊時刻の五時ちょうどを指す。

「テンケーン」

と号令がかかる。信号兵は帰隊点検のラッパを吹かなくてはならないんだけど、吹け

ません。

「何をグズグズしておるか」

叱られてあわてるから、吹き口がなかなか元へ戻らない。間に合ったか遅れたかの判断はラッパのラストサウンドで決るんです。「プーッ……」の最後の音が消えるまでに入ってきたかどうかです。当の水兵は、ラッパ手がやっとラッパを吹き始めて、吹き終ろうとする頃、辷《すべ》り込んで来て、処罰も何もされなかった。

海軍の時間厳守はこういう風にやるんだよと、S先輩から実例を以て教えられた、松永さんがそう言ってました。

この人と同年輩ではあるけれど、僕らが入った頃の海軍は、規則ずくめの傾向が強くなった末期の海軍で、暗記しなくていいはずの軍人勅諭を丸暗記させる教官がいたり、あんまり英国流とも思えず、「これがほんとの海軍ダマシ」と仲間うちで悪口言ったりしたものですが、それでも、コチンコチンになるのを嫌う昔の気風がある程度残ってました。松永さんが先輩から聞いた「ある海兵団」の話のような話を幾つか知ってます。

その具体的な事例を、思いつくままに挙げてみます。海軍らしさのニュアンスはそれぞれ違いますけどね。

『西園寺公と政局』（全九巻、昭和二十五年〜三十一年、岩波書店）の著者原田熊雄男爵の長男・原田敬策さんは、神戸商大を出て僕の次の期の海軍予備学生を志願する。家柄は良いし英語もよくできるし、海軍が採りたくなりそうな好青年でしたが、いかんせん小柄なんです。試験場では最初に身長・体重測定があり、体重五十二キロ以上ないと不合格になる。列に並んでた友人が、原田の奴真っ先にハネられるんじゃないか、と心配していたら、案の定体重不足らしく、試験官が、もう一度乗れと言ってる。何回測ったって体重計の目盛が変わるわけないのですが、三度目、

「ドーンと乗れ」

と来た。

そうしたら針がピーンとふれて、

「ヨーシ、合格」

となったという話です。

技術系の士官の採用試験で「蟻の歩くスピードは何ノットか」と聞かれた人の例もあります。海軍は常時ノーティカル・マイルを使ってましたから、約一・八キロが海の一マイル、すなわち時速一ノットと知っていなくてはなりませんが、それをもとに推算して何ノットと答えても駄目なんだそうで、もし、

「世界には約四千種類の蟻がいますが、どの蟻のスピードをお答えしましょうか」

という風に言えたら点数がぐっと高くなる。

「君の満年齢は？」

と訊かれて、自分の時計を見せながら、

「こればかりは時々刻々と変りますから、お答えできません」

それで最高点もらった人もいる。

私の同期生の一人は、今で言う面接試験の席で、

「ここに五匹の猿がいて六つの菓子がある。菓子に一切手をふれず五匹の猿に平等に分

け与えるにはどうするか」

と質問をされて、分からないので態度だけ潔くと、

「わかりませーん」

直立不動の姿勢で答えたら、試問官が、

「分らなければ教えておいてやるが、これをむつかしござるという」

と言ってニヤリとしたそうです。そのクラスメイトがのちに、

「何だい、ありゃ。駄洒落を解いたら百点くれるのか。海軍って変ってるなあ」

とボヤいてましたが、この種の難問奇問、要するに相手の反応の仕方を見てるんだと思います。変なことを聞かれたとき、どのくらいフレキシブルに頭を回転させ得るかのテストではないでしょうか。ケンブリッジのtripos、卒業予定の優等生を三脚椅子に坐らせて問い詰めるという、あの試験制度あたりが、お手本だったのかも知れません。

フランスにもエリート官僚を養成する国立行政学院（ＥＮＡ）があって、亡き木村尚三郎先生に昔聞いた話では、「ウィーンにおけるドナウ川の水深を問う」という問題が

出たことがある。約何メートルなんて答えても合格にはならない。

「ドナウ川はウィーンを西から東へ八キロにわたって貫流しております。どの地点の水深をお答えしましょうか」

と言えるぐらいの度胸と智恵とが要求されるんだということでした。

西欧の自由主義国に在勤して、こういうwisdomを身につけた海軍軍人は、少し時代を溯《さかのぼ》ると、大勢いたのです。機関科の森田貫一中将は、大尉のとき英国駐在オックスフォード留学を命じられて、大正十三（一九二四）年から十五年まで向うで暮らしました。留学中、アメリカの教育使節団がオックスフォードを視察に来て、森田さんは歓迎レセプションに出席するよう求められる。その席でオックスフォード大学の総長が挨拶に立ち、

「皆さんはこちらへ来られる前、ドイツを訪れて学者を作る教育は充分ご覧になったはずですから、ここではどうか人間を作る教育をみていただきたい」

と述べたのに感銘を受けたといいます。そのせいか、燃料の専門家の森田さんが、昭

和六年中佐の時、一年間海軍省教育局の局員をつとめました。局長は海軍リベラル派の代表寺島健少将でした。問題は、この人たちがずっと海軍の中枢にとどまれたかどうかですがね。

最後の訪欧航海

海外在勤など一度もしていないのに、海軍流の「ヒウマー」の持主で、酒も芸者遊びも大好き、始終部内の噂のタネにされたアドミラルは、有地《ありち》十五郎《じゅうごろう》中将でしょう。対米開戦の二年前、予備役に編入されて、昭和の戦史にはほとんど名前が出てきませんから、御存じの読者は少いと思いますが、陸軍の荒木貞夫大将みたいな立派な口髭を生やしていて、後ろからみると猫が焼け焦げのサンマを咥《くわ》えているように見えるので、綽名が「猫サンマ」、佐世保や長崎の花柳界では知らぬ人無き大名士でした。

海軍の「名士」は、世間で言う名士と意味が違います。奇言奇行の多い人のことで、その程度が甚《はなは》だしいと上に「大」がつく。山本五十六さんなんかも相当な「名士」だったらしい。その猫サンマが水雷戦隊の司令官だった時の話です。

暗夜の洋上で実戦さながらの教練魚雷戦をやったあと、有地司令官坐乗《ざじょう》の水雷戦隊旗艦が、他艦の放った魚雷の浮流しているのを見つけて拾い上げた。発光信号で知らせてやると、向うじゃ、自分とこの発射した演習用魚雷、自分で回収しなくてはいけないのに、見失って困っているところだったから、喜んだ艦長が、「感謝に絶えず」か何か、信号で礼を言ってきた。猫サンマがすぐ信号を返して、

「オレイハスベカラクグタイテキナルベシ」

酒持って来いということですよ。

渋々ながら向うは翌日、水兵に四斗樽《しとだる》かつがせて、「グタイテキ」な「オレイ」と魚雷回収に出て来る。こっちは司令部職員、乗組員一同大満悦の大笑い、評判は艦隊中に拡まったそうです。

演習が終わると艦隊は休養地に入ります。温泉の湧く別府の港など、休養に最適の泊

地で、入港した各艦、一刻も早く錨を入れて整備旗揚げて、「上陸員整列」の号令をかけたい。あるときこの水雷戦隊の駆逐艦一隻が急ぎすぎて、旗艦のあまりにも近くに錨を入れてしまった。艦船には振れまわりというものがあって、投錨位置が近すぎると、風や潮の流れにあおられて艦尾の接触する危険が生じる。猫サンマ司令官から手旗で、

「アナチガイ　ヤリナオセ」

駆逐艦は仕方なく出港ラッパを吹いて、いったん錨を揚げ、ぐるりと沖を回って再入港、投錨を了《お》えてやっと上陸許可になったけど、どこの宿にも「休養」の相手なんかもういない。全員売切れ。みんなで猫サンマを恨んだというんですが、有地十五郎提督、こんな奇行ばかり目立つ海軍の一名士に過ぎなかったかと問われれば、そうとばかりは評しきれぬらしい。

『思い出のネイビーブルー』の著者松永市郎さんにとっては、かつてとなりの大伯父さんみたいな存在でした。彼が兵学校へ入った昭和十二年の暮、父親の松永貞市大佐（のち中将）が鎮海要港部参謀長に補せられ、同年同月同日付を以て有地中将が鎮海の司令

官に着任した。したがって休暇で両親のもとへ帰ると、となりの司令官官邸に猫サンマがいて、色々海軍の昔話をしてくれる。

翌昭和十三年の夏休み、江田島帰りの松永市郎さんが、一年前に始まった支那事変がなかなか解決つかず、生徒の夏休暇、今年は一週間に短縮されましたと報告すると、有地中将が「ふうん」と言った。

「そうかねえ。わしらが兵学校生徒だった明治三十七年、日露戦争の真っ最中なのに、まるまる一ヶ月の夏休みもらったぞ。こんな事変で休暇をへつるような海軍じゃ、アメリカと戦争にでもなったら日本の負けだな」

この種のエピソードをもう少しつづけましょう。昭和十二年、日本海軍は「八雲《やくも》」「磐手《いわて》」の二隻で編成した練習艦隊をヨーロッパへ遠洋航海に出します。練習艦隊司令官は古賀峯一中将、結果から言うと、これが最後の遠洋航海らしい遠洋航海になるのですが、イスタンブールに寄り、ナポリ、マルセイユ、アレクサンドリアにも寄り、五ヶ月かけて若い少尉候補生達にタダで外国見物をさせてやろうというわけではない。洋上で連日のように厳しい訓練が行われます。艦長や分隊長にも鍛えられるが、候補生連中にとって一番怖いのはすぐ上の兄貴分、中尉クラスの「指導官付」でした。流行唄「月は無情というけれど」の歌詞をもじって、「付は月より尚無情」と替え歌が出来ていたそうです。

仮りの名前石井としておきますが、「八雲」乗組の指導官付・石井中尉は特に厳しくて、「鬼の石井」といわれていた。その鬼が内地が近づくにつれて段々仏になってくる。みな不思議に思っていたら、どうも東京にフィアンセがいて、帰国後間もなく結婚式を挙げる予定らしい。にこにこ顔になるわけで、五ヶ月ぶりの再会を楽しみに、一つ前の寄港地から鬼が東京へ、

「何月何日何時横須賀入港　軍艦八雲　石井中尉」

と電報を打った。受け取ったのが仮名ハナコさん。良家のお嬢さんですが、海軍の慣習は知りません。電報でも信書の秘密は守られると思っているので素直に、

「マアウレシイ　ハナコ」

と八雲宛に返電を出した。

当時横須賀籍の艦船に宛てた民間電報はまず横須賀郵便局にとどけられます。それから一括して海軍港務部へ配送される。そこで封を開いて、急を要するものとそうでないものとに選《よ》り分ける。単なる祝電なら、あとで公用使に、新聞雑誌や手紙類と一緒に持って帰らせればいいのですが、「チチキトク」というようなものも混っていて、これは手旗信号で入港した艦に送達してやらねばならない。

マアウレシイは急ぐ電報ではありませんが、誰か親切な港務部員がいて、緊急信扱いにしてやれよということになったんでしょう。ところが「八雲」は十九世紀最後の年ドイツで完成した古い装甲巡洋艦、古すぎて横須賀の港の奥深くまでは入れてもらえない。はるか沖でブイに繋留《けいりゅう》している。港務部から直接は姿が見えないので中継艦が必要になります。近くの戦艦の信号科を呼び出し、

「八雲石井中尉宛民間電報アリ。中継タノム。本文マアウレシイ、ハナコ。終リ」

戦艦がもう一隻新鋭の重巡を中継艦に指定する。

「八雲石井中尉宛民間電報アリ。中継タノム。本文マアウレシイ、ハナコ。終リ」

やっと鬼中尉は電報を受け取ったけれど、これだって公務のうちですから、各艦の航泊日誌に記録が残る。あとで当直将校が記録をチェックして、「何だ、これは」、怒ったかというと誰も怒らない。大受けに受けて、艦隊じゅうに知れ渡り、鬼の石井中尉は、以後半年ぐらい、先輩同僚、会う人ごとに「マアウレシイ元気か」、「マアウレシイと結婚して仲よくやっとるか」とからかわれたそうです。

同じ年（昭和十二年）の春、八雲、磐手の練習艦隊とは別に、重巡洋艦「足柄」が訪欧航海に出ました。英国王ジョージ六世の戴冠記念観艦式に参列するのが主任務でしたが、三ヶ月かけての長い航海中、乗組員の思い出に残る出来事は、観艦式以外にも多々あったでしょう。私が知っているのは、艦長が一水兵に詫びを言って敬礼したというおかしなエピソードが一つ、英国のレーダー開発に気付いた造船科の士官がいたというやや深刻な話題が一つです。

「足柄」の艦長室にはジョニー・ウォーカーが一本、常に置いてあった。あるとき艦長

T大佐がそれの量が減っていることに気づく。従兵を呼んで、

「お前、酒が好きか?」

何げなく訊くと、

「私は酒に弱くビール一杯がせいぜいであります。ウイスキーや日本酒はきつくて手が出ません」

と言う。しかし翌日になると、また少し減っている。

自分は呑んでいない、やはりあいつがやるんだと艦長一計を案じ、ジョニー・ウォーカーの空瓶を用簞笥《ようだんす》の引出しの中から取り出して隣の艦長専用バスルームへ入ります。泡立つウイスキー色の液体を適量流しこんで、本物の代りに、小さな目印をつけたその瓶を艦長室の棚の上へ置いておいたら、翌日又々はっきり減っている上に瓶の位置が変っていた。今度こそあいつ参っただろうと、呼んで、

「正直に言えばそれ以上咎《とが》めはせんのだ。何故あんなことを度々やるか」

説教すると、従兵が答えて言うには、

「はい。瓶は確かに私が動かしました。それはしかし、毎朝艦長に差し上げる紅茶に少量ずつウイスキーを入れるためでありまして……」

T大佐、慌てて口もとを拭いつつ立ち上がって、

「そうか。そうであったか。お前を疑ったわしが悪かった。許せ」

その水兵に鄭重《ていちょう》な敬礼をしたというのです。

不思議な防空演習

六月の戴冠記念観艦式に参列した「足柄」は、ドイツ海軍の基地キール寄港を最後に、ジブラルタル、スエズ経由帰国の途につきました。この艦には正規の乗組員、司令部職員だけでなく、徳川夢声や画家の中村研一、同盟通信の記者など取材陣が大勢乗っていて、技術参謀のかたちの牧野茂造船少佐も定員外の一人です。何でも珍しい物に眼をつけて、愛用のコンタックスで写真ばかり撮っていた。

府立一中の先輩にあたる夢声から「コンタックス居士」とニックネームをつけられた牧野少佐が、夜間、ドーヴァー海峡通過中「足柄」の艦橋に立って見ているとイングランドの東海岸で防空演習をやってる。そのやり方がどうも変だ。普通、聴音機が仮装敵機の爆音を感知し、その方向へ探照灯を何本も照射して、機影を捕捉できたら対空射撃が始まるのだが、なかなかそううまく行くものではない。それを、英本土の防空演習では、二本か三本の光芒《こうぼう》が夜空にクロスした途端、もう飛行機の姿をつかまえている。一分か二分消えて、再び探照灯がつく。同じことで、光の十文字の中にピタリ機影がある。

「英国は何か、位置測定の新しい技術を開発したんじゃないか。これは帰国したら関係各方面に注意を促した方がいい」

コンタックス居士はそう思いました。

ところが「足柄」が台湾沖まで帰ってきたとき、盧溝橋《ろこうきょう》事件が起こります。「足柄」は横須賀帰着の予定を急遽変更、佐世保に入港して戦闘即応態勢に入りました。徳川夢声や中村画伯、新聞記者、牧野造船官ら、戦闘配置の無い便乗員はみなここで退艦し、

牧野さんは汽車で上京、報告書作成に取りかかる一方、中央の各部局や呉の海軍工廠《こうしょう》や、あちこち廻って、

「あのドーヴァーの不思議な防空演習は徹底的に究明する必要がある」

と力説するんですが、

「事変が始まって忙しいんだ。今それどころじゃないんだよ」

と、どこからも相手にされませんでした。書き上げた貴重な報告書は丸四年間、艦政本部の机の中で眠ったままになります。

牧野さんの目撃したのは最初期のレーダーが試験的に使われている光景だったわけですが、レーダーというと、日本の八木秀次博士が大正末に発明した「八木アンテナ」が世界的に名高い。昭和十七年二月、日本軍が英領シンガポールを占領したとき、ほとんどの要塞に日本製八木アンテナが使われていたといいます。

海軍も、電波の反射作用を利用して目標の位置を割り出す方法があるというので、かつて真鶴岬に巨大なマストを立て、籠《かご》アンテナを取りつけて実験をしたことがあるので

すが、聯合艦隊の参謀から、「こんな不細工なものを戦艦のトップに据えつけられるか。かえって敵の先制発見の好目標になる」と強い反対意見が出て、実験継続は見送られました。基礎研究の面で日本は先鞭をつけていたのに、実用化の面では英国に先を越されてしまうのです。英米独三国が新しい電波兵器の開発を続けていると気づくチャンスは、その後、何回もあったんですがね。

昭和十四年欧州大戦勃発（日本はまだ中立国）、南米ウルグアイ沖で、英国の艦隊に追いつめられたドイツのポケット戦艦「グラフ・シュペー」が自沈します。それを撮影したニュース映画は日本でも公開され、『アサヒグラフ』には大きな写真が載った。「『グラフ・シュペー』の檣楼《しょうろう》上に奇妙なアンテナがはっきり写ってるぞ。ありゃ何だい？　忙しいからってニュース映画ぐらい見ろよ」

と言った海軍士官がありましたが、結局何だかよく分らなかった。或いは分ろうとしなかった。

昭和十六年の初めに、「プリンス・オブ・ウェールズ」の姉妹艦「キング・ジョージ五世」がワシントンを訪問したとき、雑誌『LIFE』が空中のあらゆる角度から艦の姿を撮って載せた。メインマストについてる不思議な形状のアンテナが写ってるんですが、気づいて調べようとした人はやはりいなかった。在米海軍武官やロンドン駐在造兵監督官から、レーダー実在の確報が入り、愕然となるのは、その少しあとです。ドイツ訪問中の技術調査団は、ドイツ側が渡してくれた詳細なデータを本国へ打電します。目黒の技術研究所を中心に、海軍は、「最優先、最高機密」の扱いでこの電波兵器の研究に取りかかるのですが、牧野コンタックス居士が注意を促した時から数えて満四年の技術格差があり、対米英開戦後、これを埋めることはついに出来ませんでした。

最大の文化遺産？

右の一件、英国に学ぶはずの海軍が英国に学ばせてもらえなかった逸話。これを以てこの章を終りにしてもいいのです。もしかすると私は、少し語りすぎたかも知れません。

戦前の「サイレント・ネイビー」は、戦後意外に評判がいいのを知って、かなりのお喋りネイビーになりました。私もその一翼を担っている。むしろ陸軍の方が既往を語らぬ傾向があって、「サイレント・アーミー」という皮肉も聞えて来る。それを承知の上で、あと二つだけつけ加えておきたい。

一つは、元陸軍戦車部隊の初級士官司馬遼太郎が海軍をどう見ていたか。もう一つは、海軍省の法律顧問杉田主馬《かずま》書記官が、自分の前半生を捧げた海軍にどんな感想を抱いていたかです。

司馬さんから始めましょう。司馬さんは『坂の上の雲』を書くにあたって、大佐クラスの元海軍軍人数人から綿密な取材をしました。大部分が日露戦争を体験したアドミラルたちの二代目でした。『坂の上の雲』のメインテーマが日露戦争ですからそういう人選になったのでしょうが、戦後公職を追放され、ひっそり暮らしているこの二代目たちが、謙譲で礼儀正しく、本もよく読んでいて、而《しか》も堅苦しいところのちっともない紳士であるのに、司馬遼太郎は大きな驚きを感じるのです。海軍の伝統、独特の気風、慣習、

躾教育のやり方、たっぷり聞き終って、

「海軍は明治以後の日本人が作り上げた最大の文化遺産ではないか。民族の能力と精神とが、これほど見事に形に表されたものは他にはない」

という有名な言葉を残しました。

そうでなくても亡んだ海軍に「郷愁」を感じている私らから見れば、少し照れくさいくらいの褒められ方、「海軍は」の上に「よき時代のよき一面だけ取り上げれば」と書き足したい気がしないでもない。

ついては、杉田書記官の見解が参考になろうかと思います。一高東大法学部を出て、穂積重遠《ほづみしげとお》先生の推薦で海軍に入り、日本敗戦まで約十五年間海軍の中枢部にいた法律顧問が、ある時私にこう語ってくれた。

「今の若い人はむろんのこと、君たちだって信じないかも知れないが、よき時代の海軍には、日本の他の社会で見られない実にのびのびしたリベラルな空気があった。自由討議とユーモアが貴ばれ、杓子定規は嫌われました。自分の意見が正しいと思えば、誰の前で職務上どんな激しい主張をしても咎められなかったし、又、正しい意見がよく通った。だから、あの時代の海軍を知る者が戦後三菱あたりへ再就職して、大会社というのはこんなに封建的で上に遠慮のある窮屈なとこかと、みんな驚くんです。満洲事変の頃からそれが段々おかしくなって来る。体質が段々陸軍に似て来る。末次信正大将みたいな政治的野心のあるのが、時流に迎合、陸軍に同調して権力を握り、英米協調派の提督たちは次々海軍を追われる。米内さんや古賀さん、井上成美さんら何人かが奇蹟的に現役に残ったけど、結局は少数派でしかなかった。若手の血を沸き立たせるような強硬派が主流を占め、やがて対米一戦辞せずとまで言い出す。かくて海軍は、やるべからざるいくさに捲きこまれ、亡びるべくして亡んでしまった。無定見の末、思い上りの果ての自業自得とは言え、惜しいことですよ」

杉田さんは、その経緯を、海軍省大臣室のすぐ隣にいて、ずっと見守っていた人です。このほかにも、機微にわたる話をずいぶんたくさん聞かせてもらいました。それを一々紹介し出したらキリが無い。特に印象深かった話だけ挙げて終りにしましょう。

さきほど「約十五年間」と言いましたが、実はそのうち三年間、杉田さんは英国留学中でした。法学部出の若い文官に海軍が英国留学を命じたのは、ゆくゆく日本海軍も英米流のシビリアンコントロールにしようという意図があったからだと聞いています。

「特に印象深かった」と僕が言うのは、杉田さんが英国へ旅立つ当日の話と、三年後イギリスから帰ってきた春の話です。昭和六年四月、白山丸で横浜を出る日の朝、海軍省に寄って大臣に留学の挨拶をしようとしたら、海相の安保《あぼ》清種《きよかず》大将が、「君、何か訓令もらったか」と訊くんだそうです。訓令には国際法と軍事行政と何とかを研修すべしと書いてあったので、その通り答えると、安保大臣が、

「おッ」

テーブルの上で大きく手を振った。

「あのな、そんなものは何アんにも勉強せんでええぞ。ただ彼らがいざという時、どういうものの考え方をするか、それをしっかり身につけて帰ってきてくれよ」

イギリスに着いた杉田さんは、初めロンドン大学、間もなくケンブリッジのトリニテ

イ・カレッジに移って、国際法の勉強を始めるのですが、何しろ大臣のお墨つきだから、友人を大勢作って、遊ぶ方も贅沢によく遊んだ。とりわけ、ゴルフと車の運転が病みつきになった。昭和九年の春帰国した杉田さんは、毎週土曜日、田園調布の家から、フォードの新車にゴルフバッグを積んで海軍省へ出勤して来る。構内に車を駐めておいて、昼になると、「お先に失礼しまァす」、さっさとゴルフ場へ出かけて行く。身分は中尉相当官。目立ちますよ。今なら財務省の若い職員が名門カントリー・クラブのメンバーで、ゴルフ場へ行くのに始終ロールス・ロイスを使ってるぐらいの感じでしょうね。

昭和九年は清朝の廃帝溥儀《ふぎ》が満洲国皇帝に即位した年、山梨勝之進に次いで、安保清種、寺島健、堀悌吉ら、海軍の穏健派将官が次々馘《くび》になった年、軍令部の少佐中佐クラスあたりが馬鹿に威勢よくなっていて、「あの町人服着た若僧、何だありゃ」と悪口が聞えて来る。生意気に見えるだろうとは、自分でも分っているんだけど、不思議なことに、大臣官房や軍務局の直属上司からはちっとも叱言《こごと》が出ない。

遠廻しにさぐりを入れてみたら、海軍省先任副官の岩村清一大佐（井上成美の同期生）

が、

「個人の生活には誰しも個人の事情がある。公務に支障を来さないかぎり、個人の生活に濫《みだ》りな容喙《ようかい》はしないのが海軍の伝統だ」

と言った。

「海軍軍人と同じ考え方、同じ暮し方をする人間が欲しければ、高給払って君のような東大出の書記官を採用する必要はない。君は周囲の声を気にせず、自由な発言をしていいし、そうする義務がある」

杉田さんのこの回顧談は、昭和九年当時、よき時代の海軍のよき伝統がまだ生きていた事実と、「段々おかしく」なって滅亡への道を歩み始める前兆と、両方を示唆しているような気がするんですが——。

第五章　天皇の見識

日独伊三国同盟

ところで日本は、あの「やるべからざるいくさ」へ、いつどこでルビコンを渡ってしまったのでしょうか。昭和十六年十二月開戦の日だと言えばそれまでですが、その前の、ここでついに引返しがつかなくなったというノーリターン・ポイントはやはり、昭和十五年の日独伊三国同盟締結だと思います。

日独防共協定を強化してナチス・ドイツと軍事同盟を結べと、頑強に主張したのは陸軍、頑強に反対したのが海軍、一応そうですけど陸軍にも反対派の佐官将官は大勢いた。一方海軍にも賛成派が相当いた。陸軍悪玉海軍善玉と簡単な見方は通用しません。ただ、陸軍の良識派は中央の要職に就くことが殆ど不可能だった。逆に海軍では、命がけで反対していた米内、山本、井上、中央の三人組が次々とその地位を去ってしまい、同盟賛成、或いは已《や》むを得ず賛成の提督たちが枢要なポストを占めるに到る。それが昭和十五年九月初めの国内情勢です。

その情勢に処して、悩みに悩まれたのは昭和の陛下でしょう。お立場上、「地位を去る」ことも「命がけで反対する」こともお出来にならない。もし内閣が同盟締結と全閣僚一致で方針を決めたら、「自分は不賛成、すぐ取り消せ」とは仰有《おっしゃ》れない。言った途端に御自分が専制君主になってしまう。

その頃、のちの日本医師会会長武見太郎さんが、銀座の教文館ビルで近代的なクリニックを開業していました。ある日宮中からこのクリニックへ、近衛首相が倒れたのですぐ来てもらいたいという電話が掛ってきた。今年（平成十九年）四月号の『文藝春秋』

が、「新発見　昭和史の超一級史料！」と題して載せた「小倉庫次《おぐらくらじ》侍従日記」の昭和十五年の部に、

「九月二十六日（木）近衛首相（九・三〇）枢府にては全員委員会を開き日独伊条約の御諮詢《しじゅん》案に付、協議す。后九時過まで続行す」

という一節がありますが、電話はこの日この委員会の最中、誰かが掛けたものらしい。武見ドクターが着いた時、近衛はもう意識を恢復し、青い顔してソファに坐っていたそうですが、「どうなさいましたか」と尋ねると、昼食のあと陛下にさそわれて御一緒に散歩していたら、陛下が、

「この条約ができると国民がさぞ難儀するだろうな」

と仰有った、それを聞いたら、スーッと気が遠くなったという説明であった。「国民がさぞ」のお言葉は、若き日英国を訪れて、名君の誉れ高きジョージ五世にあたたかくもてなされ、立憲君主制の在り方を身肌で学んでこられた陛下の、口になさり得るギリギリせい一杯、「反対」の意思表示だったように感じます。三国同盟賛成の近衛公も、

さすがこの一と言には参って、一時的脳貧血を起したのでしょうが、それは文字通り「一時的」、その晩おそく、同盟締結の件上奏、御裁可を得ています。

翌日にはベルリンで三国同盟の調印式が行われる。その三日前（九月二十四日）、陛下は、

「日英同盟の時は宮中では何も取行はれなかつた様だが、今度の場合は日英同盟の時の様に只慶ぶと云ふのではなく、万一情勢の推移によつては重大な危局に直面するのであるから、親しく賢所に参拝して報告すると共に、神様の御加護を祈りたいと思ふがどうだらう」

という趣旨のことを木戸内大臣に語っておられますが、これも思い屈して神にすがりたいようなお気持のあらわれではないでしょうか（『木戸幸一日記』）。

この深刻な事態に海軍の首脳はどう対応したのか？　人格円満、陸軍や外務省革新派との摩擦を避けたい及川古志郎大将が海軍大臣、豊田貞次郎中将が次官、彼らは「情勢の推移によつては重大な危局に直面する」ことを充分承知しながら、ノーが言えず、ご

くあっさり三国同盟に賛成してしまうのです。一年前、平沼内閣当時、海軍左派トリオと称された反対組三人は、前述の通りすでにその職にいなかった。山本五十六（前次官）が聯合艦隊、井上成美（前軍務局長）が支那方面艦隊参謀長、米内光政（前海相、首相）はすべての公職を離れてもはや市井の人に過ぎなかった。

その三人のうち、陛下の御信任の最も篤かったのは米内提督、彼が日独伊三国同盟に関して言い残した片言隻句《せきく》を、順不同で幾つか並べてみます。

「同盟を結んで我に何の利ありや。ドイツの為火中の栗を拾うに過ぎざるべし」

「ヒトラーやムッソリーニは、どっちへ転んだところで一代身上《しんしょう》だ。二千年の歴史を持つ我が皇室がそれと運命を共になさるというなら、言語道断の沙汰である」

「ジリ貧を避けようとしてドカ貧になる怖れあり」

「バスに乗りおくれるなというが、故障しそうなバスには乗りおくれた方がよろしい」

ジリ貧は、早期開戦論者が国力の衰退して行くのを案じてよく使った言葉。バスに乗りおくれるなも当時の流行語。今次の世界大戦がこのままドイツの勝利で終ると、中近東でもアジア・アフリカでも日本の取り分が無くなる、早く三国同盟という名のバスに乗ろうじゃないかというさもしい発想から出た言葉です。

そんな合言葉を認めない点で、陛下は米内と同じでいらしたが、さらに一歩前向きの御意見が、年が明けて昭和十六年一月九日の「小倉日記」に記されています。

「結局、日本は支那を見くびりたり、早く戦争を止めて、十年ばかり国力の充実を計るが尤《もっと》も賢明なるべき旨、仰せありたり」

立派な御見識だと思いますね。まことにまことに仰せの通り。三国同盟など結ばず、泥沼化している支那事変を終らせて、隠忍自重日米戦争の危険を回避し、日本人の持つ技術水準と勤勉な国民性とをもとに、十年国力の充実につとめることが出来たら、昭和二十六年正月の日本は、焼野原なんか一つもありませんし、進駐軍の占領下でもないし、どんなに国運隆々として学問や文化の面でも大きな業績を世界に示していたか、その光景を頭に描いてみたくなる。

同じ頃（昭和十六年一月十三日）、陛下は戦線の整理縮小を渋る杉山元《はじめ》参謀総長に、

「戦争を長引かせることは財政上の見地よりして果して我国力堪へ得るや否や」と詰問しておられます。特に経済学を勉強されたとは思えないのに、支那事変を国家財政の面から憂慮なさっていた。

いつかある財界人が、

「戦争というものは経済の面からだけ見ると、国のあらゆる資源と技術をつぎ込んで作った高価な精密機械を、次から次へ外地へ持って行って、叩き壊して捨ててくることだ」

と言いましたが、まったくそんなこと、アメリカを相手にはもとより、「四百余州」の支那大陸においてだって、長くやりつづけられるわけがない。

はっきりその認識をお持ちだった陛下、大人の智恵というより帝王の見識、それと併せて寛容の美徳も備えておられたはずの陛下が、一部の高官には大変おきびしかった。前の陸軍大臣、三国同盟の最も熱心な提唱者板垣征四郎大将に向かって、「お前ぐらい頭のわるいものはいないのではないか」と言われたのは有名な話ですが、「支那事変など三ヶ月で片付く」と言った杉山参謀総長もお叱りを受ける。海軍では「五・一五事件の陰の張本人」末次信正大将なぞ、一時期拝謁を許されなかったのではないですか。

度々参内して、三国同盟推進の大熱弁をふるった松岡洋右《ようすけ》外相もお嫌いでした。大使クラスの外交官では駐イタリア大使の白鳥敏夫。ドイツ人以上にドイツ的と言われた駐独大使大島浩（陸軍中将）と結んで三国同盟実現に尽力したこの人が、昭和十四年秋帰国した時、恒例の御進講に余り「御気分御すすみ遊ばされざる模様」、それでは差別待遇になりますからと侍従のとりなしで、ムッソリーニのイタリアについての「御進講」を渋々お聞きになったらしいことが、やはり「小倉日記」に出ています。

陛下にはうとんじられたけれど、白鳥は一種の豪傑肌で、外務省の若手革新官僚たちに評判がよかった。彼らが酒の席で、日露戦争の大山巌《いわお》元帥を称えた「薩摩が生める快男児　姓は大山名は巌」という壮士節をもじって、「上総が生める快男児　姓は白鳥名は敏夫」、両手を叩きながら歌っていたという海軍士官の目撃談が残っているんです。

ヒトラーを礼賛する「民の声」

こういう連中の努力が実って、三国同盟という陛下御軫念《ごしんねん》のノーリターン・ポイントを越えたら、あとは道がまっすぐ対米英戦争の方向を指します。回避しようたってもう無理です。かくて日本は、独伊の側に立って「負けるに決ったたいくさ」(山本五十六の言)に突入するのですが、それを専ら政治家と軍人のせいにするのは、妥当じゃないでしょう。背後に大きな「民の声」がありました。

「民の声」は主として日々の新聞からかもし出される。欧州動乱勃発当初、ドイツ軍破竹の進撃ぶりを、朝日新聞なんか「疾風枯葉《こよう》を捲く」という表現で礼賛していました。ドイツが勝つ、イギリスは負ける、それに決ってると、誰しもが思う。国民のヒトラー熱が急速に高まって来る。それはある種の信仰に近いものでした。

ちょうどその頃(昭和十四年九月三十日)、日本郵船の欧州航路船榛名丸が神戸に入港しました。動乱勃発後最初の帰還船だというので、船客たちそれぞれ、新聞記者から現在のヨーロッパ事情について談話を求められるのですが、中でも注目を浴びて記者連中に取り囲まれたのが、一等船客の一人、出本鹿之助海軍主計少佐でした。欧州戦争の今後の成行き、どうなると思うかと質問されて、ロンドン在勤二年の見聞をもとに、

「今のところドイツが優勢だけど、やがてイギリスの底力がものを言い出す。ドイツ空軍のロンドン空襲ぐらいで英国は参らない。戦争が三年、四年と長びくようだと、ドイツの力が尽きて英国の勝利に終るのではないだろうか」

少佐は概略そう答えました。この主計少佐、神戸一中の出身、綽名が「でえやん」、その晩の東京行急行に乗るのを、一中時代の同級生が見送りに来て、

「でえやん。あんた新聞記者にえらいこと言うたなあ」

と言う。

神戸新聞の夕刊に、「ドイツの勝算危うし？　新帰朝の出本海軍少佐談」と、早くも記事が出ていたのです。それが何故そんなに「えらいこと」なのか、出本さんは分りか

ねる思いでしたが、友人が、

「今の日本で、ヒトラーの悪口言うたり、ドイツの勝利を疑うようなこと言うたら身が危ういんやで。注意せなあかんがな」

と、もはやナチス一点張りの国内世相を説いて聞かせた。「ドイツドイツと草木もなびく」民衆の、このヒトラー讃歌が、政府と軍の親独路線を支えたのです。

ポリュビオスの言葉

それともう一つ忘れてならないのは、大東亜戦争緒戦の大戦果を知った時、国民の大多数がどんなに感激したかです。文士だけ拾ってみても、白樺派の志賀直哉、武者小路実篤、里見弴を始め、谷崎潤一郎、吉川英治、高村光太郎、斎藤茂吉——勝利の感激を文章にし、詩を作り歌を詠み、或いは軍に深い感謝の意を表明している。フランス贔屓の獅子文六さんだって、神信心もないのに、近所の八幡宮へ「えらいことになりました。

是非日本を勝たして下さい」と祈願に行ってます。陸軍も海軍も、軍人がいい気になるのは当り前ですよ。

僕自身のことを言えば、東大文学部の二年生でしたが、それまで、支那事変というのは実に憂鬱で、泥沼の大陸戦線へ駆り出されて戦死なんていやだなあと思っていた。それがあの日の朝、ラジオで開戦の第一報を聞いてはッとし、このいくさには自分も協力しなくてはならぬ、命を捨てることになるかも知れないが已むを得ない、そう思ったら、急に気持がすっきりした。午後になって、やはり下宿のラジオが、

「帝国海軍は本八日未明ハワイ方面の米国艦隊並に航空兵力に対し決死的大空襲を敢行せり」

と「大本営海軍部発表」を伝えるのを聞くや、今度は涙がポロポロ出て来て困った。

その思い出を、今から七年ばかり前、猪瀬直樹さん、秦郁彦さん、福田和也さん、中西輝政さんと僕と五人で、九時間かけて座談会（『二十世紀日本の戦争』文春新書）をやった時、みなに話したことがあります。そうしたら京大教授の中西さんが、ギリシャの

歴史家ポリュビオスの言葉を教えてくれた。ポリュビオスによれば、物事が宙ぶらりんの状態で延々と続くのが人の魂をいちばん参らせる。その状態がどっちかへ決した時、人は大変な気持よさを味わうのだが、もしそれが国の指導者に伝染すると、その国は滅亡の危機に瀕する。カルタゴがローマの挑発に耐えかねて暴発し、亡びたのはそれだと――。さらにつけ加えて、中西教授が言うには、

「この言葉、近代の英国では軍人も政治家もよく取り上げる決り文句。英国のエリートは、物事がどちらにも決まらない気持悪さに延々と耐えねばならないという教育をされている。世界史に大をなす国の必要条件ということです」。

――ははあ、それが英国流の大人の叡智か、自分にゃとても真似出来ないけどと思いましたよ。今でもそう思うんだもの、当時一文学書生の私に、そんなこと考え及ぶべくもなかったのは当然として、軍や政界の大物に、やはりそういう「必要条件」を満たそうとするエリート意識を持つ人、一人もいなかった。

だからというわけではありませんが、日本敗戦、彼らがA級戦犯に指名されて東京裁

判の法廷に立たされた時、いやに小物に見えましたね。スターリンや毛沢東のような巨悪という感じは無かった。

開戦時と終戦時、二度外務大臣を務めてそれなりの功績のあった東郷茂徳も、戦後、戦犯として巣鴨に拘置された一人ですが、獄中でたくさんの歌を詠んでそれを遺稿『時代の一面』（一九八五年、原書房）に収めています。その中に、

此人等国を指導せしかと思ふ時　型の小さきに驚き果てぬ

という一首がある。義理にもお上手とは言いにくい短歌ですが、別の一首、

いざ児らよ戦ふなかれ戦はば　勝つべきものぞゆめな忘れそ

と共に永く私の心に残りました。

「四方の海みなはらからと思ふ世に」

近年、あの戦争は日本の自衛戦争だったといって、正当化しようとする人が少なからずいますね。間違っているとは思いません。ＡＢＣＤ包囲陣（米英支蘭）に文字通り包囲され、石油輸入の道は閉ざされ、自存自衛のため立ち上がらざるを得なくなったという一面が確かにありました。

だけど結果が、死者三百万、全国焼野原、全軍無条件降伏と出て尚、「自衛戦争だったんだから」では済まないでしょう。昭和十六年九月、御前会議の席上、懐中から紙片を取り出し、

四方《よも》の海みなはらからと思ふ世に
　など波風の立ちさわぐらむ

と明治天皇の御製を読み上げて、暗に平和維持を望まれた陛下の御意思は（ノーリターン・ポイントをもう過ぎていたとは言え）何故守られなかったのだろう。相手の巧妙な挑発に乗せられたのだとしても、そりゃ乗った方が悪い。「カルタゴの暴発」は何としてでも避けてほしかったと、僕は思います。

自衛説と並んで戦争目的達成説もある。日本が盟主になって、欧米の植民地にされているアジアの国々を解放するのが、「大東亜戦争」本来の目的、目的は成就し、フィリッピンもインドネシアもビルマも戦後独立したんだから、負けても大きな意義のある戦争だった——。これ亦、正しくないとは言えない。

三十何年前のことですが、タイのバンコク空港の待合室で乗り継ぎ便のアナウンスがあるのをぼんやり待っていたら、隣りの席のインド人が話しかけてきて、

「自分は戦争中、シンガポールの日本海軍の工廠で働いていた」

と言うんです。へえ、それでこれからどんな嫌味を並べるつもりかと、僕が多少顔を

しかめたんでしょうね。そのインド人、僕の膝を叩いて、

「どうしてそんな顔をする？　あの戦争がなかったらインドは独立できなかった。日本に感謝してるんだ」

これには驚いたけど、やはり嬉しかったです。

実際あの無謀の負けいくさに何か善い意味を見出すとしたら、それしか無い。しかし、あれは植民地解放の為の正義の戦争と、全世界に向って本気で主張するなら、独りよがりのこじつけと、否定されるが落ちではないでしょうか。アジア諸国の独立は、戦争の結果であって、ほんとの目的じゃなかったんだから。昭和十八年の大東亜会議では解放戦争の意義を強調したかも知れませんが、日本政府の言うこととやることと違っていたのは、朝鮮をどう扱ったか一つ見ても分りますよ。

という風に言ってると、話が段々横道へそれて行く。裕仁天皇の「帝王の見識」については、また語る機会があると思うので、ここで章をあらためることにします。

第六章　ノブレス・オブリージュ

『自由と規律』

ずっと前に、いずれ取り上げるとお約束しておきながらそのままになっている池田潔著『自由と規律―イギリスの学校生活―』を、今度こそ「取り上げる」ことにしましょう。

福原麟太郎先生や藤原正彦さんの著作と併せて、僕が愛読し、再読し、英国の英国らしさについて教えられるところ多かった本ですが、福原さんの『叡智の文学』、藤原さんの『遥かなるケンブリッジ』と、少し内容がちがう。ケンブリッジで勉強なさったのは三人とも同じだけれど、福原藤原両氏のそれが在外研究員の研究生活だったのに対し、池田先生のは、前後八年間の学生生活だった。大学に五年、その前リース・スクールというパブリック・スクールに三年在学して、英国上流階層の子弟と同じ教育課程を経験している。パブリック・スクールというとイートン校の鞭が有名ですが、その教育は事実、想像以上に厳格で質素なものだったようです。

リース・スクールは、ケンブリッジの町はずれに在って、ケンブリッジ大の付属中学のような、比較的歴史の新しい小さな学校ですが、そこでの池田先生少年時代の生活や見聞が『自由と規律』にたくさん鏤《ちりば》めてあります。滋味掬《きく》すべき話を色々紹介したいんだけど、この岩波新書、たいへんなロングセラーで、昭和二十四年初版刊行以来増刷に増刷をかさね、現在九十二刷、おそらく百万単位の日本人が読んでいる。今さら「取り上げる」必要があるのかどうか。ただ、百万という数字、テレビの視聴者数にあてはめると、極めて低い数字で、視聴率一パーセントということでしょ。読んでない人もごまんといるわけです。そんなら僕が、特に印象深く読んだ話だけ幾つか選び出して語り部役をつとめておくのも、万更余計なことではないかも知れない。

それで第一話は、床屋の話。

生徒が散髪するには、学校特約の理髪店があるのですが、小さな質素な店でいつも満員なので、リースに入学して間もなくの池田少年は、ある日帽子をポケットにかくして、町のもっと設備のいい店へ入り、気持よく刈上げてもらいながら、ふと鏡に映った隣りの客の顔を見たら、リース・スクールの校長先生だった。顔色青ざめた少年に、

「突然で失礼だが」

と校長が話しかけて来る。

「私の学校に、やはり君と同じ日本人の学生がいてね。もし逢うような序《ついで》があったら言《こと》伝《づ》てしてくれ給え。この店にはリースの学生は来ないことになっている、と。何？　知っていた？　君は知っていたかも知れないがあの日本人の学生は入学したてでまだ知らないんだよ。知っていたら規則を破るようなことはしないはずだから」

悄然《しょうぜん》として立ち去ろうとする少年を、校長が呼び止める。

「ここは大人の来る店で、心附がいる。何？　自分で払う？　それは君の一週間分のお小遣いではないか、子供はそんな無駄遣いをするものじゃない。これを渡しておき給え」――。

話が飛躍しますが、日露戦争の満洲軍総司令官大山巌元帥は、凱旋後、

「何に一番苦労されましたか」

と聞かれて、

「知ってても知らん顔をするのに苦労した」

と答えたそうです。日本の武士道とイギリスのジェントルマンシップと、どこか一脈通じるものがあるように感じますね。

第二話は自転車が無駄になった話。

チャーチルの出身校ハロー・スクールの博物学教師でピーター・ブレナンという人がいました。一九一四年の夏休み、某伯爵の一人息子十六歳と一緒に自転車旅行に出かけ、

サイクリングの途中、欧州大戦（第一次大戦）が始まったこと、英国がドイツに宣戦布告したことを知ります。当時の英国陸軍はまだ徴兵制でなく志願制だった。二人は何の相談もせず、当然のようにロンドン市内へ走り帰って、従軍志願者受付の長い行列に並ぶんです。

パブリック・スクールの教師は、ほとんどがケンブリッジかオックスフォードの卒業生、生徒は大体において社会的に恵まれた階層の出、国家危急の際は自分達が率先、最も危険な立場に立たねばならぬという英国流「ノブレス・オブリージュ」精神から出た自然の行為だと、著書の中で池田さんは述べておられます（ピーター・ブレナンの自伝でこれを知った由）。ブレナン先生は即刻採用されたのに、生徒の方は年が足りないと一旦はねられますが、口実を設けて二度、三度懇願し、ついに許されて、やがて二人とも前線へ出て行きます。

四年半後、先生は片足を失って帰って来ますが、生徒は帰らなかった。教え子の戦死を知った片足のブレナンはこう言います。

「ああ、もったいない、英国の自転車が二台無駄になった」

感情の抑制を美徳とし、それの過度な露出を嫌うイギリス人には、こんなひねくれた言い方をする癖が多分にある、他人に涙なんか見せられるもんか、それが池田先生の追加説明でした。

第三話は「ヒロヒト・デイ」。

大正十（一九二二）年五月、軍艦「香取」で英国に着いた皇太子裕仁親王は、ロンドンでの諸行事が終ったあと、同月十八日ケンブリッジ大学御訪問、リース・スクールにも立ち寄られます。リースの正門を入って左側に、赤煉瓦の古い礼拝堂があって、ステンドグラスの窓々の下に、その窓ガラスを寄贈した人を記念する言葉を彫りこんだ大理石の碑がはめてある。窓の一つは本校出身日本人一同の献納したものでした。

御先導の校長が碑の前に立ち止まると、殿下はそこに刻まれた文字を読み取り、微笑して頷《うなず》かれた。じっとお顔を見ていた黒いガウン姿の校長は、一歩退いて深く深く頭を下げた。その光景を、殿下より二つ年下の池田潔生徒十八歳が見ていた。

「今にして思えば、あれが、地球の果と果とに別れながら特殊の親交を重ねてきたこの二つの国の、心と心が触れあってパッと火花を散らした瞬間だった」

というのが、後年『自由と規律』を書く時の池田慶大教授の感想です。

お車が動き出すと、校長が、殿下の御沙汰により明日一日を「ヒロヒト・デイ」として全休に決する旨発表した。お見送りの列に並んでいた全校生徒、「ヒップ・ヒップ・フレー」と、天にもとどろく歓声を挙げたという。『昭和天皇独白録』に、昭和十六年十一月宣戦の詔書を裁可する時、

「英国と袂《たもと》を別つのは実に断腸の思がある」

そう洩らされたことが記されてますが、むべなるかな、さぞやおつらかったろうと拝察しますよ。

その他にも、池田教授後年の感想なら、チャーチルの短い演説に触れた箇所が、作中に二つある。一つは省略、もう一つは一九四五年五月、ナチス・ドイツが降伏した時の、下院での演説です。

「本日ドイツ政府は降伏を申し入れた。したがって対独戦争はこれを以て終了した。国王陛下万歳」

それだけだった。形容詞一切無し。例の『暗黒日記』に、清沢洌が、日本の新聞記事、大本営発表、「至妙至巧な我水雷戦」とか「古今独歩の大戦闘」、「鬼神も哭《な》く」と、内容空疎な最大級の形容詞ばかり列ねているのを、もううんざりと言わんばかりに指摘していますが、それのちょうど正反対でした。

ヘンリー王子と日本の皇族

『自由と規律』の紹介はこれで終りますが、「ノブレス・オブリージュ」の話をもう少しつづけたい。

最近、チャールズ皇太子の次男で亡きダイアナ妃の忘れ形見、英国の王位継承権第三位のヘンリー王子が、サンドハーストの英陸軍士官学校を出て任官、所属部隊と共にイラク南部のバスラへ赴くということが報じられました。

「最近」と言っても今年の春、雑誌『諸君！』五月号の巻頭コラムを読んで知ったのですが、ヘンリー王子は前々から、「同僚が祖国のために戦っている時、じっとしてはいられない」と、出征を望んでいたそうです。望みは叶《かな》えられて、自爆テロと猛暑と砂嵐の戦場へ出て行くらしい。有名な巻頭コラム「紳士と淑女」の匿名筆者は、「英国に生まれた者が英国を愛し、同国人と生死を共にしようと望む。当たり前のことである」

「英国の王室には戦時には第一線に出る『武』の伝統がある」

と書いていました。これを読んで、僕は大分考えこまされた。日本の皇族はどうなさるのか。目下のところ、ヘンリー王子と較べて将来鼎《かなえ》の軽重を問われそうな男子皇族は秋篠若宮悠仁《ひさひと》親王しかおられませんが、その方の教育をどうするのか。今から二十一年後、悠仁親王二十二歳（ヘンリー王子の現年齢）の時、万々一、国民みんな武器を持って日本の独立を守るため戦わねばならぬような事態が起っていたら、「同国人と生死を共に」なさるのかなさらないのか（追記。その後の情報によれば、ヘンリー王子のイラク前線行きは中止になった由。出て行けば王子の所属する部隊全員が異常な危険にさらされるであろうとの脅迫が度々あり、英軍上層部が中止を決定、王子はその決定にしたがったけれど、失望感は大変大きかったとのことです）。

その点戦前は、少くとも建て前としては、はっきりしていた。明治天皇の思し召しにより、皇族の男子は原則として全員、陸海軍どちらかの軍人になるよう決められていたから。つまり、いざの時国に命を捧げるのを本分とする職務につけということです。ただし、全くの建て前に終り、「名誉の戦死」を遂げた皇族なんか一人もありません。

そのことも含めて、海軍が自分を扱う扱い方に強い不満を表明されたのが、高松宮様です。少尉で軍艦「比叡」乗組を拝命した時やはり二十二歳（昭和二年）、若い海軍士官として危険作業にも出てみたい、内火艇のチャージ（艇指揮）もやりたい、それを何ンにもやらせてもらえない。これじゃあ艦内でウロチョロ食糧を食い荒してる油虫と同じだというんで、「私は比叡の油虫」、八五調の戯歌を作ったりしておられる。

この種の不満は『高松宮日記』（平成七年〜九年、全八巻、中央公論社）の各処に見出せますが、特に戦争中、外地行きの希望を何遍となく上司に申し出て、唯一回の例外（マニラ、シンガポール、ジャカルタ方面巡覧）を除き、全部断られている。ラバウル視察も駄目、キスカ島視察も「まだ危いから」と駄目、「全ク統率上、生ケル屍ナリ」と日記に書いてある。「イギリス的」なはずの海軍が、直宮の「ノブレス・オブリージュ」を一切認めなかった。

中でもやりとりのすさまじかったのは、昭和十九年二月十八日、嶋田海軍大臣との一時間四十分にわたる膝詰め談判でしょう。

「もはや自分の保身を考える時に非ず、戦死すべき時が来ているのではないか」

最前線へ出せとの御要望を、嶋田繁太郎大将、別名「東條の副官」は、適当に受け流していますが、殿下の頭には半年前から「戦死すべき時」の考えが浮かんでいた。この戦争は最悪の場合日本の無条件降伏で終り、国体変革の暴動が起る。国民怨嗟の声は天皇に向けられる。その際、天皇の弟宮すら敵陣に突入戦死してるんだという事実が国民感情を慰撫し、皇室を守って発奮再起のよすがになるなら、死ぬ意味があると思っておられたのです。

この膝詰め談判の十二日前、二月六日、海軍大尉侯爵音羽《おとわ》正彦《ただひこ》が内南洋のクェゼリンで戦死しました（戦死後少佐・兵学校六十二期）。朝香宮の第二皇子として生れ、江田島卒業後臣籍降下、音羽姓を名乗っていた人で、海軍は飛行艇による救出を考慮したけど間に合いませんでした。

高松宮は音羽邸へ弔問に行き、通夜に列席し、写真一枚しか入っていない白木の箱を見て、同情しながらも、

「初めて皇族（元皇族）から戦死者が出た。御遺族には気の毒だが国民に対してこれで面目が立つ。その意味では結構なことだ」

という御感想だったようです。

昭和の陛下の軍事学

こんな宮様がおられたのも、段々遠い昔話になって行きますが、逆に二十年三十年先のことを考えると、元皇族が皇籍に復帰したりして、男と生れた若い宮様は悠仁親王だけではなくなっているかも知れません。

全くの私見ですが、その人たちには、陸、海、空いずれかの自衛隊に入って一年か二年きびしい訓練を受け、予備士官の資格を取得してもらったらどうだろう。そうして非常の場合、自分が先頭に立ってヘリを操縦し斥候隊を指揮し、命を捨てる覚悟のほどを国民にお示し願いたい。昔高松宮がそう望まれたように。或いは英国のヘンリー王子が今そうであるように——。

昭和の陛下は二十二歳の時すでに摂政でした。仮に大正天皇御壮健で摂政の地位に就かれなかったとしても、一般の皇族とお立場がちがうから、市ヶ谷の陸軍士官学校、江田島の海軍兵学校で軍人になるための正規教育を受けるということはあり得なかった。にも拘《かかわ》らず、作戦の立て方、陸海軍の統率法、用兵術、ちゃんと身につけておられたようにお見受けします。学問がお好きだったのは周知の事実ですが、今の人が天皇に期待しない軍事学も帝王学の一部として研鑽されたようで、単なる海洋生物の専門家ではありませんでした。

二・二六事件の際のきつい御発言は、それを証するものだと思います。陸軍首脳が最初のうち「蹶起《けっき》部隊」と称した叛乱軍将校たちを、陛下は終始「暴徒」と呼んで絶対お許しにならなかった。

侍従武官長本庄繁大将の日記に詳しく書き残されていますが、大変なお怒りで、侍従武官長が「行動部隊将校」を弁護するような口調になるのを、ことごとく否定、

「未だ嘗《かつ》て拝せざる御気色にて、厳責あらせられ、直ちに鎮定すべく厳達せよと厳命を蒙る」

厳命の前にも、川島陸相以下責任者あんまり煮え切らないのを見て、

「陸軍が陸軍の手で暴徒を鎮圧できないというなら、自分みずから近衛師団を率いて鎮定にあたる」

と言っておられる。この御発言は注目すべきではないでしょうか。

大元帥の軍服姿で白馬にまたがっていれば、聯隊旗を捧げた各部隊が次々目の前を整然と行進して行く、そんな陸軍大演習か観兵式みたいな情況ではなかった。陛下には、近衛師団を実際に指揮して戦う意志と自信がおありになったのだと思う。叛乱軍の機銃弾に斃《たお》れる場合のあり得ることも、当然考えておられただろう。又、早く断固たる処置をとらないと金融パニックが起るとの経済的御配慮も併せてお持ちだったという。

御齢三十三、名君と言わざるを得ませんね。

第七章　三つのインターナショナリズム

プラウダの匂い

二・二六事件の起ったのは、僕が旧制の広島高等学校へ入る前の年でした。事件発生を知って家へ帰ってきて、

「これだから陸軍は嫌いなんじゃ」

と憤慨してたら、

「奥の座敷でお父さんが丸橋さんと碁を打ってなさる。聞えたら悪い。大きな声出しな

さんな」（丸橋さんは近所に住む陸軍の退役大佐）

母親にたしなめられたのを覚えてますが、その後僕の陸軍嫌いは段々ひどくなって行く。軍の政治干与、ナチス礼賛ナチス模倣の傾向が強くなるにつれて、陸軍主流派に対するこちらの嫌悪感も強くなって来た。その頃僕たちの中学校でも、右手を挙げて得意げに「ハイル・ヒトラー」を唱える生徒がいたりして、それもいやだったけど、「ナチス」とは「ナチオナール・ゾチアリスティッシェ・何とかパルタイ」、国家社会主義労働者政党のことで、もともと共産党と紙一重なんでしょ。『細川日記』に、ソ連の在日武官が「最近の日本のように共産主義的ではとてもやりきれない。自分たちのほうで防共を考えなくちゃならない」と冗談を言ったという話が出てきますが、日本の陸軍は「限りなく赤に近い」存在になりつつあった。

ジョン・ガンサーがそのことを指摘している。『Inside Asia』（一九三九年）という著書の中に、「日本陸軍を指導する軍人たちの多くは poor peasant の出身で、彼らの日本改革法案は多分にプラウダの匂いがする」という記述があるそうです。「あるそうです」と言うのは、僕自身『Inside Asia』の原文を見たわけではないから。晩年の船田中さん（元衆議院議長）に、「昭和十四年外遊の際、カナダのヴァンクーヴァーでジョン・ガンサーの本を買って読んだら」と、昔の思い出話として聞かされたのです。この著書の邦訳『亜細亜の内幕』は、昭和十四年「今日の問題社」から刊行されていますが、訳者（大江専一）が断っている通り、一部叙述を省略した抄訳で、「プラウダ云々」はどの章にも見出せません。おそらく検閲を配慮して抜いてしまったのでしょう。

そういう世情のもとで、僕は高等学校の生活三年間を過しました。上級生に「赤」がいて、シンパになれと接触して来る。武漢三鎮攻略祝賀の提灯行列には参加すべきだと、妙に右翼っぽいことを言い出した同級生がいる。どちらにも同調出来ませんでしたよ。「天皇ニ帰一シ奉ル」とか「神眼ヲ闓《ヒラ》イテ悟リ霊耳《レイジ》ヲ欹《ソバ》タテテ聴ケ」とか、右翼壮士の神がかり的発言もよく分らないし大嫌いだが、コミンテルンの指示にしたがって党の活動をしていれば、貧富の差のない理想社会が出現するという理屈も信用する気になれなかった。右翼と背中合せの陸軍、その陸軍の憧れるナチス、ナチズムと根を同じくするコミュニズム、陸軍はそちらの影響も強く受けていて、私有財産の制限とか財閥三井三菱打倒とか、ソ聯の新聞みたいなことを言い出している。自分ら流に神格化した天皇を奉じる一点だけがちがう。廻り廻って全部いやでした。

あいつだけ向こう岸

それから八年後、ナチス・ドイツは崩潰し、日本陸軍は消滅し、右翼の威勢も衰えてしまうんだけれど、「赤」は残る。と言うより、昭和初期と同じような左翼全盛の時代がやって来る。左翼にあらざれば人にあらず、いや、知識人たる者「親共・容共」でなくても、せめて「反反共」でなくてはならぬと言われたものです。

それでも僕は「反共」だった。戦後世に出た新人作家の中で「あいつだけ向こう岸の人間」と白眼視されたりしましたが、十年前十五年前と考えは変らなかった。そのことを「我が見識」として自画自賛するつもりはありません。何故なら、マルクス・エンゲルスをきちんと勉強して共産主義を理論的に批判してたわけではないから（高等学校生徒の頃、まだ本屋の棚に残っていた岩波文庫白帯の『空想より科学へ』や『反デューリング論』を買って来て読んでみて、何のことやらさっぱり理解できなかった）。

ただ、アンドレ・ジイドの『ソヴェト紀行』は、納得して読みました。一時共産主義に傾倒していたフランスの代表的作家が、実際にソ聯へ行ってその実態を見て、如何に失望したかが、正直に書いてあった。ジイドの本で知ったのかどうか、忘れましたが、スターリンのやった粛清の陰惨さ、夜中アパートの階段をコツコツ上がって来るゲー・ペー・ウーの長靴の音、その音を聞くモスコー市民の恐怖感、あんな国には住みたくないという、かなり感覚的（？）な左翼嫌いで、そのくせ他の人にも、空理空論を弄《もてあそ》ばず、事実に即して善悪の判断をしてほしいと思っていました。

トーマス・マンの故郷、ドイツのリューベックへ行ったことがあります（一九六八年）。ナチスが亡びて二十三年経ってるのに、ドイツは依然被占領下当時のままの分裂国家で、リューベックはちょうどその境界線に在る西側の町。何キロかにわたる無人の

緩衝地帯をへだてて、向こうは東ドイツです。西ドイツの国境守備兵に、

「あちらから逃げて来る人がいますか」

と訊ねたら、

「時々、命懸けで緩衝地帯を越えてくる」

と言う。

「逆に東ドイツへ出て行く人は？」

「たまにいる」

家族が東側に残ってるとか何かの理由で、車に荷物を一杯積んで東ドイツへ移住したいと申し出てくるんだそうです。

「どう処置しますか？」

「別に何もしません。書類にスタンプを押して『ビッテ』と言って通すだけです」

それ見ろと思いましたよ。東から西へは命懸け、西から東へは「どうぞ御自由に」。

これでも日本の「進歩的文化人」たちは、社会主義国の方がいい国だと本気で信じてい

るんだろうか。

アジアに眼を移せば朝鮮がやはり戦後の分裂国家ですが、北朝鮮は「地上の楽園」、南の韓国は正反対のひどい国、そんな馬鹿な話があるもんかと腹立たしくてならなかった。もっとも、戦時下の事情を振り返ってみると、食べ物は乏しい、言論は弾圧される、日本は今の北朝鮮とかなり似ていて、国民の多くが息をひそめるような暮し方をしていました。そんな気配が濃厚になってくる頃、大学の掲示板に「海軍兵科予備学生募集」の掲示が出ているのを見つけて、僕は非常に嬉しかった。

これは海軍省の人事局がアメリカのＲＯＴＣ（Reserve Officers' Training Corps）を見習って作った制度で、今後予想される兵学校出身者の数不足を補うため、一定数の学徒予備士官を養成しておこうというものです。海軍には割にリベラルな空気があると聞いている。これに応募して採用されれば、どうせ訓練はきついだろうが、右も左も嫌いな僕みたいな「学徒」にとって、隣近所の口のうるさい下宿生活よりまし、もちろん陸軍よりまし、精神的に多少息抜きの出来る行き場所かも知れんと思った。

やや期待過剰の感あり、結局海軍のいいところも悪いところも見て生きて帰ってきて、三年半在籍した海軍を主なテーマに、六十年間の文筆生活を送ることになるんですが――。

映画『東京裁判』

世界に三つのインターナショナリズムがあるんだそうですね。一、カソリシズム、二、コミュニズム、三、ネイビイズム。

親しい友人でカソリック信者の遠藤周作から、

「お前ほんまに赤が嫌いなんか。そんなら世界一大きな反共団体何か知っとるか？ カソリックやで。カソリックに入れよ、お前」

と誘われたことがあるけど、その気になれず、「一」とは無縁で終ります。

「二」に関しては繰返し語っている通り。ただし学理的に自信あっての「反共」ではなかったから、小泉信三先生の諸論考や福田恆存さんの「平和論の進め方についての疑問」に、いつもうしろで支えてもらっている感じでした。福原麟太郎先生も私を（間接的に）支えて下さった一人で、随筆「英文学について」の一節、

「共産主義の理論などというものは実に整然としておりまして、あまり整然としているものでありますから、それをその通りだと思うことが出来ない云々」

を読んだ時、胸がすうッとしました。

昭和二十年代三十年代の言論界は赤一色に塗りつぶされてるように思っていたけど、ちゃんとした識見を持つ学者も少なからずおられたわけですよ。まあ、先生方の批判を俟《ま》たずとも、「二」の信奉国は、二、三の例外を除いて、二十世紀の終る前に「信仰」を捨ててしまい、日本では東京の代々木に天然記念物のような小さな組織が、七十余年の夢の跡として残っているだけです。

したがって、僕が心を寄せた唯一のインターナショナリズムは「三」ということになります。実際、海軍の者は、相手が海軍である限り、どこの国であろうと話がツーカー

で通じるようなところがあって、お互い妙な親近感を持っているのです。

昭和十五年南京に汪兆銘《おうちょうめい》の「偽国民政府」が誕生、これの政策補佐をする日本の陸海外務三者合同機関が設けられた時、上海から来て南京での会議につらなる海軍の佐官クラスが、よく「日日交渉」と称してこれを嫌っていました。どんな案件を持ち出したって、機関の長の陸軍大佐が太いだみ声で「フドーイ」と言ったらそれでおしまい、会議にも何にもなりやしない、上海にいてアメリカ海軍の士官と「日米交渉」をやってる方がよっぽど話がしやすいという意味です。

敗戦後の逸聞では、米軍の東京進駐がほぼ終った頃のこと、霞ヶ関の海軍省構内へアメリカ海軍の水兵が二人入って来て、

「今夜ここへ泊めてくれ」

と言うんだそうです。応対にあたったのは二年現役の主計科士官、

「ここはご覧の通り海軍省の焼け跡の仮住まいで、君たちを泊める施設なんか無い。東京都内方々に今、進駐部隊のカマボコ兵舎が建っている。あちらへ行って頼みなさい」

それを聞いて、水兵が困ったような顔をする。「どうして？」と思ったら、あれは陸軍の兵営、

「We are Navy.」

と言った。学徒出身の主計大尉は、その一と言にほろりとなって、副官部へ相談に行って、やっぱり断られたという敗戦余話です。

ずっとのちに、四時間四十分にわたる記録映画『東京裁判』（小林正樹監督、昭和五十八年公開）を見た時も、ある場面で「ははあ」と思いました。これはアメリカ国防総省に保管されていた五十万フィートもの実写フィルムを日本で編集し直したものだそうですが、米海軍のリチャードソン大将が写っているのにまずびっくりした。

ジェイムズ・リチャードソンは、ニミッツの前の前の太平洋艦隊司令長官です。日本の野村吉三郎提督とも昵知《じょくち》の間柄のこんな人が、東京へ来て極東軍事裁判の法廷に証人として立っているとは知らなかった。当然興味津々ですよ。被告席には永野修身《おさみ》元軍令部総長が坐っている。こちらは息つめる思いなのに、画面のリチャードソン提督、大し

て印象に残るようなことも言わぬまま、証言を終って、米軍の憲兵隊長に伝言を頼む。

「あの雄大な真珠湾作戦を完全な秘密裏に遂行したことに対し、同じ海軍軍人として被告永野提督に敬意を表すると伝えてくれ」

僕は永野修身元帥に「敬意」なんか持っていなかった。嶋田繁太郎海相と並んで、軍令部総長の立場で、陛下をだますようなことを申し上げ、対米開戦海軍側の最終ゴー・サインを出した重大責任者だと思っていた。東京裁判でA級であろうとD級であろうと、そんなこと関係なし。見方によっては東條より罪が重いと思っていました。

それなのにリチャードソン提督の永野さんへの伝言内容を知ったら涙が出て来た。悪名高き「真珠湾だまし討ち」について、こんなことを言った人は、僕の知るかぎり、あとにも先にもありません。率直に自由に自分の意見を述べるアメリカ人らしいアメリカ人だなあと感ずると同時に、「ははあ、これがネイビーの国際性か」とあらためて感服しました。海軍同士だと敵のファインプレーにも拍手が送れる。大海原が相手の運命共同体という意識を共有しているんですね。

もう一つ、元パラグアイ駐劄《ちゅうさつ》大使浅羽満夫さんに教えられた話。南米のあの内陸国に海軍があるんだそうですよ。二つの大河を行動範囲とする河川海軍ですが、かつてブラジル、アルゼンチン相手に烈しい水上戦闘をしたこともあり、国民は自国の海軍を誇りにしている。その河川海軍の提督が、

「大使、ネイビーはインターナショナル。一日海軍の飯を食ったら一生海軍」

と言ったそうです。浅羽大使が第二次大戦中、予備学生出身の士官で、一時期「大和」乗組だったと知っての親愛発言であったらしい。

陸軍の立派な軍人たち

さてここまで全七章、担当編集者が草稿にしてくれたのを読み返して、一つ気になるのは、一部の読者から苦情が出やしないかということです。東條の悪口以外、海軍の話、英国の話、昭和天皇の話ばっかりじゃないかと――。そういう印象を与えるだろうとは

思う。思うから気になるんだけど、ある意味で已むを得ない。

全篇通しての主題は「大人の見識」です。昭和天皇ははっきりそれを持っておられた。先帝陛下のあの「帝王の見識」を、英国抜きでは語れない。陛下と言えば英国、英国と言えばロイヤル・ネイビー、日本海軍はその影響下に大を成し、影響下を離れて亡んだ。若き日の自分はそこにいたという順列組合せがあって、どうしても話がそちらへ片寄る。

陸軍を忘れているわけではないのです。陸軍にも立派な軍人がいた。大山巌元帥や柴五郎大将や、すでに触れた「明治人」を別にして、昭和期の将官だけに限ってみても、今村均大将、本間雅晴中将、陸軍の最後にあたり第八十九帝国議会で軍の政治責任を認める心こもった謝罪演説をし、全議場をシーンとさせた下村定《さだむ》大将、『細川日記』に度々登場する酒井鎬次《こうじ》中将や硫黄島の栗林忠道大将、スウェーデン在勤武官小野寺信《まこと》少将、七人や八人の名前はすぐ思い出せます。

二・二六事件以来私の陸軍嫌いがひどくなったのは事実ですが、誰も彼もひっくるめて、陸軍式は何も彼も嫌いというのではありません。だけど、前にも言った通り、彼ら良識派の将官クラスは、中央の要職に就くこと殆ど不可能で、陸軍の姿勢を正して、ナチス崇拝をやめさせるとか、『プラウダ』張りの革新論を撤回させる、一億玉砕派の主張を抑えて早期終戦の方策をさぐる、そういう役目は果せませんでした。

私の方も、陸軍のことは士官食の食い方すら知らないから、陸軍軍人の伝記を書く気にはなれず、戦後現存者に取材を申し込んで直接人柄に接するとか、資料を読んで複雑な裏の事情を知るとか、それはしてません（戦地で生き死にの苦労をした兵士は別ですよ。例えば伊藤桂一伍長の作品や談話、亡き古山高麗雄《こまお》二等兵の残した戦記、敬意を払って読んでます）。

結局のところ、陸軍の一部に存在した「叡智」と「見識」とは他の昭和史研究家の研究に委ねて、自分は「我が道」だけ行くかたちになってしまったのです。

それでは戦後もネイビイズムを心の拠りどころにしてこんにちまで暮して来たかと言えば、そんなことはありません。カソリシズムは宗教、コミュニズムも一種の宗教ですが、ネイビイズムは宗教じゃない。大体、一つの型にはまって皆と同じやり方をすること自体、海軍は嫌いました。英国海軍には学んだけど、英国聖公会の信仰を受け継ごうとはしなかった。僕個人に限らず、海軍軍人に限らず、日本人の多くが、一神教にはどうも馴染みにくかった。日本の中流家庭で、神棚があって仏壇があって、書斎にバイブルが置いてあるというのは、戦前、ちっとも珍しいことではなかったのです。

その多神教的日本人が、エドワード・グレイの言う「幸福」の第一条件、「自分の生活の基準となる思想」として重んじたのは何だったろうか？　神様でも仏教でもエス様でもなく、孔子の教えだったと僕は思います。いや、武士道精神があると言われるかも知れないが、武家階級も含めて、維新前維新後、日本人一般の倫理基準は儒教に置かれていたような気がする。四書五経のうち、特に論語です。

志賀直哉先生の祖父志賀直道は、相馬中村藩の重役で、それこそ古武士のような風格を備えた無口な人でしたが、生涯に一度だけ孫の直哉に叱言の手紙を書き送ったことがある。若い頃直哉が友人と三日ばかり鎌倉の方まで遊びに出たまま帰って来なかった時、

「親展」の手紙が届いて、それにやはり、

「子曰ク、父母在《イマ》セバ遠ク遊バズ、遊べバ必ズ方《ホウ》有リ」

と孔子の言葉が書いてあったそうです。

最後の章でこの問題を取り上げてみます。

第八章　孔子の見識

デカンショ節

皆さん「デカンショ節」を御存じでしょ。昔の高等学校生徒が、お酒に酔って朴歯《ほおば》の下駄鳴らして、大声で歌い歩いたあの歌の何節目かは、

「論語孟子を読んではみたが、
　酒を飲むなと書いてない。
　ヨーイヨーイデッカンショ」

で終る。その程度にはみんな論語を読んでいたということですよ。それが戦後の六三制でさっぱり読まれなくなった。

うちの長男が大学何年生の時だったか、僕が論語についてちょっとしたエッセイを書きかけているところへ友達を何人も連れて来たから、

「君たち論語の中の好きな言葉ってあるだろ。嫌いな言葉でもいい。すぐ思い出せるのを何か言ってみてくれ」

と言ったら、

「論語ねえ……」

誰も一つも答えられない。

「おやおや、今の大学生は江戸時代の熊公八公より劣るのか」

と驚きました。

川柳を見てごらんなさい。「北辰のやうに伴頭大あぐら」、これは論語の「政ヲ為スニ徳ヲ以テセバ、譬《タト》ヘバ北辰ノ其ノ所ニ居テ、衆星ノ之ニ共《ムカ》フガ如シ」をふまえている。

つまり北極星がちゃんと定位置にあって他の星がその周りをめぐっているように、帳場であぐらをかいて威張ってる大番頭と、周りで小忙しく立ち働いている丁稚小僧と、立派なお店《たな》の店先の風景を諧謔味こめて詠んだ句です。

「抜けた夜着《よぎ》いますが如くふくらませ」も同じ。いかにも寝ているかのように布団を膨らませておいて、道楽息子が女遊びに抜け出して行く時の様子なんですが、論語八佾《はちいつ》篇の「祭ルニハ在《イマ》スガ如クス」を知らなかったら面白くも何ともない。寺子屋へ通って読み書き算盤《そろばん》を習ったほどの者なら、長屋に住む職人だって、江戸時代の庶民はみな、川柳が聖人の言葉を織りこんでるおかしさにすぐ気づいたわけです。

五分間論語

そのことがずっと頭にあったもんだから、遅くできた孫みたいな末の子（三男）が高校一年生になったとき、「五分間論語」をやろうと提案して承知させました。クリスチャンの家庭で食前のお祈りをするのと同じように、晩飯の前五分間、親子差し向いで論語の素読をしようというのです。

まず父親の私が、

「子曰ク、学ビテ時ニ之ヲ習フ、亦説《ヨロコ》バシカラズヤ。朋遠方ヨリ来タル有リ、亦楽シカラズヤ。人知ラズシテ慍《イカ》ラズ、亦君子ナラズヤ」

という風に唱えてみせる。次、末っ子が参考書を見ながら、

「子曰ク、学ビテ時ニ之ヲ習フ——」

と何度も繰り返す。

暗記出来たと思ったら、本を伏せて又唱えてみなさい。毎晩じゃなく、三日に一遍でもいい。そうすると僅か半年で、二千五百年前に孔子とその弟子たちの言った言葉を六十、丸々覚えてしまうことになる。これは将来必ずお前の知的財産になると思うよ、意味なんかよく分らなくたって構わない、文章を覚えていれば意味はあとで段々分って来るからと言い聞かせて、末っ子本人も結構乗り気だったのに、そのうちバスケット部の

合宿があるとかで忙しくなり、私の方も仕事の〆切やら麻雀の約束やら色々事情があって「休講」の日が多くなり、結局、立ち消えになってしまいましたが、今考えてちょっと惜しいことをした。

論語の一話一話は概して短いのです。

「徳ハ孤《コ》ナラズ、必ズ鄰《トナリ》アリ」

という有名な言葉だって、漢字の原文（?）を見ると、「子曰」を除いて、「徳不孤、必有鄰」、たった六文字です。興味を持って統計をとってみたことがありますが、「学而第一」から始まって「堯曰《ぎょうえつ》第二十」まで約五百の章句のうち、二十字以内（つまり原稿用紙一行以内）に収まっているのが二百六項目、全体の四割強、枠を四十字まで広げると、ほぼ八割の項目がその枠内に入ってしまう。一番長いもので三百八十五字、それでも原稿用紙一枚分に足りません。

孔子の教団が原稿料で生活するのは絶対無理だと笑い話になりましたが、チャーチルの簡潔な演説の例でも分るように、ほんとうに大切なことは二た言三言で言いつくせるんですね。余計な修飾語がついてないから、若者の柔軟な頭脳が、吸収し記憶するのも容易なはずなんですが——。

わが家の五分間素読は長続きせずに終わりましたけど、もし読者の中に共感を持って下さる方があったら、御自分の勉強を兼ねて、お子さん相手にやってみられるのも一興かも知れません。

祖国とは国語

ネイビイズムは宗教じゃないと言いましたが、儒教も宗教じゃない。「何を思ったか聖堂で数珠を出し」という川柳は、時々勘違いする人があるのをからかっているのです。宗教ではない証拠に、孔子は「生」を説いて「死」を説かなかった。死について質問した弟子の子路が、

「未《イマ》ダ生ヲ知ラズ、焉《イズク》ンゾ死ヲ知ランヤ」

と、返答を拒否されています。無宗教、乃至《ないし》は多神教的傾向の強い日本人に向いた教えだったのではないでしょうか。

亡き山本夏彦さんは、儒教の価値を二つの面で認めておられた。一つは日本の国語から文語体が消え去ってしまうのを防ぐ手だてとして。もう一つは日本人の道徳的バックボーンを形成した教えとして。山本さんの著書『完本 文語文』（平成十二年、文藝春秋）から数ヶ所引用します。

「私は文語文を国語の遺産、柱石《ちゅうせき》だと思っている」

「文語というものは平安時代の口語で、それが凍結されたものだという。もう新しくなったり変化したりしないから工夫はそのなかでするよりほかない。千年工夫したから洗練されたのである。ラテン語に似ていると思えばよかろう」

それは全くその通り。どんな民主主義的な学校でも、論語や唐詩を教えるのに、文語体はやめて口語調を使ったりはしないでしょう。漢文教育の僅かな時間割の中にだけ、「千年工夫」して洗練された「国語の遺産、柱石」が僅かに残ったのです。それをしも捨てるようなことをしたら、山本さんの本の帯に言う「祖国とは国語」の、祖国は亡びる。すなわち日本語の伝統が滅びて、テレビお笑いタレントどものらちもない喋り言葉が二十一世紀中葉、元日本国民の言葉の基礎となるだろう。

すでにその徴候はあらわれています。美人の女性アナウンサーが、

「お茶席には、いろんな人をお招くのでしょう」

と言ったり、百貨店地下駐車場の吹きこみ音声が、

「場内の案内標示にしたがって入場下さい」

と言ったり、乱れに乱れた敬語の誤用例、枚挙にいとまなしです。念のため説明しておきますが、「入場下さい」は外人風の舌足らずな言い方。「入場されたし」、「入場すべし」と文語調にするか「御入場下さい」、「入場して下さい」と口語体にするか、どちらかですよ。駅のアナウンスが「三番線の電車に乗車下さい」と放送したらやっぱり変でしょ。同じ百貨店の店内放送が「特売品売場で買物下さい」と言いますか？

治国平天下

言葉が時代によって変って行くのは自然の現象ですが、だからと言って、誰も何の歯どめもかけずに、変るに委《まか》せておけばいいというものではありますまい。考えているとむやみに腹が立って来る。孔子が弟子の顔回を褒めて「怒リヲ遷《ウツ》サズ」と言ったのを、ここらで思い出さないといけません。八つあたりはやめて、『完本 文語文』に話を戻しましょう。

山本さんはこうも書いている。

「旧幕のころの遣米使節は背はちんちくりんで顔は黄色なこと現代人と同じなのに、紳士として遇されている。使節の一人木村摂津守は貴人として尊敬されている。いま日本人が軽蔑の対象でしかないのは西洋の古典を自家薬籠中のものにすれば西洋人になれると思ったからである。摂津守一行が尊敬されたのは一行に共通のバックボーンがあったからである、ナニむずかしいことではない。ひとえに儒教のおかげである。漢字まじり仮名書きのわが古典は一もって『修身斉家、治国平天下』に貫かれている。通俗のモラルである。人が尊敬されるのは通俗のモラルによってである。彼ら使節及び家来は必ずしも学問ある者ではない。近思録、四書五経で身を固めただけの者である。それでいてホイットマンの詩集にその挙措進退を賛美されたのである」

儒学の経典のうち最もポピュラーなのはやはり論語ですから、「治国平天下」なども論語の言葉、孔子の政治理念のように思われがちですが、実際は『大学』に出ている。だけど大雑把なところ、儒教の教祖みたいな孔子が「平らかな天下」を理想に掲げていたんだと考えていいだろうと思います。事実孔子は「乱」を嫌った。

「子曰ク、勇ヲ好ミテ貧シキヲ疾《ニク》ムハ、乱ル。人ニシテ不仁ナル、之ヲ疾ムコト已甚《ハナハダ》シケレバ、乱ル」

「仁」は儒者にとって最高の道徳観念なんだが、世の中そう「仁者」ばかりいやしない。勇ましいのが「不仁」を憎んで過度の正義感に燃え立つと、秩序が乱れる、それはよくない、そう言ってるんでしょ。二十世紀の毛沢東あたりにすれば、秩序が整然と保たれて国が平らかに治まってる状態なんて、さぞ気に入らなかったでしょうよ。「批林批孔」をスローガンに、一時期孔子の本家で孔子がぼろくそに言われたのは理の当然だったような気がしますが、僕は孔子の、「徳」と「仁」とを大切にしながら、それ一点にこり固まらない柔軟な中庸の姿勢を好もしく思うのです。前にも一部紹介しましたが、福原麟太郎先生が随想の中で、

「論語のごとき、実に叡智の文学であるかも知れない。これを聖典として読まず、伝記的言行録としてみれば、友あり遠方より来る、また楽しからずやにも、無量の文学的愉快と有益とが含まれている」

と言っておられるのに、あらためて全面的賛意を表したい。

我々学生の頃、漢文の先生によっては「子曰《イワ》ク」を「子ノタマワク」と読ませて、孔子を聖人扱い、論語を聖典扱いする人がいましたが、あれはどうかと思う。孔子自身、聖者のような暮し方なんかしてはいないんだから。

「子ノ燕居《エンキョ》スルヤ、申申如《シンシンジョ》タリ、夭夭如《ヨウヨウジョ》タリ」

家ではのんびりと大変くつろいだ御生活ぶりでしたと、弟子か誰かの証言があるんです。福原先生が仰有る通り、二千五百年昔の、大人の智恵を持った一人の賢者とその弟子たちの、味わい深い「伝記的言行録」としての論語の言葉を、私自身も身につけたいと思う。もっとも、いくら思ったって自分の「挙措進退」、木村摂津守一行のようにはならんでしょうがね。

山本夏彦さんは辛口コラムでよく「正義を売り物にするな」と言った。孔子も「過ギタルハ及バザルガゴトシ」で正義の過剰を戒めている。それにつけて思い出すのは、江戸の戯作者狂歌師たちが持っていた大人の智恵です。御政道が清く正しいのは、ほんとうに国民の喜ぶところだろうかと、彼らは疑問を抱いた。

奥州白河の藩主松平定信が、田沼意次《おきつぐ》に代って老中に就任するや、それまでの、不正が横行し風俗は頽廃し、袖《そで》の下が日常茶飯事だった田沼老中時代の弊習を一掃しようと、寛政の改革を実行します。倹約令、異学の禁が出され、きびしく清らかな政治が行われるようになったけれど、戯作者連中は、抽象論で物事を判断せずに、現実に即して世相を見ていた。一人が狂歌を詠みます。具体的には蜀山人です。

白河の清き流れに魚棲《す》まず　もとの濁りの田沼恋しき

蜀山人大田《おおた》南畝《なんぽ》は本来幕臣で、和漢の学に長じていたそうだから、むろん論語もちゃんと読んでいた。その人が、世の中そうきれい事ではいかないよ、民衆の本心はむしろこうだよと、寛政の改革を笑いものにしている。中々の見識だと思いませんか。ただ僕には、松平定信の「異学の禁」というのが何のことか分らなかった。蘭学を禁じたのかなと調べてみたら、そうじゃないんですね。徳川幕府の正学を、南宋の朱子学に限って、他の儒学は認めない、やっちゃいかんということらしい。これはちょっと問題ですよ。

漢学と朱子学

細川護貞さんからの耳学問ですが、朱子学というのは理気《りき》の学ともいって、厳格に理論だけでやって行くから、人情というものが全く入って来ない。理詰めで人を責める。笑いも遊びも無い。護貞さんが師事した狩野直喜先生は、

「人間そんなもんじゃありません」

といつも言っておられたそうです。

内藤湖南の流れを汲む京都の支那学の大家、その狩野先生の学ばれたのは、漢唐の学、いわゆる漢学で、宋の朱子学に対しては極めて批判的だった。大変まじめな方なんだけど、ユーモラスなところがあり、人の過ちに寛大なところがあって、酒の上の失敗も許すし、おかしなことがあれば皆と一緒に笑う。実は孔子自身、そういう暮し方を好んだんです。遊びのよさを知っていた。論語「先進第十一」の一節「莫春《ボシュン》ニハ春服既ニ成リ

云々」（論語の中の一番長い章）を見ればそれが分ります。

「我々もし世に認められて生活に少し余裕が出来たら、君たちどんなことをやりたいかね？」

先生（孔子）の問いに、弟子どもそれぞれ勢いこんで抱負を述べる中、一人だけちがうことを言うのがいた。

「私なら、仕立て下しの春服を着て、若い連中と一緒に川へ水浴びに行って、歌でも歌いながら楽しい一日を過ごしたいと思うのですが」

「夫子、喟然《キゼン》トシテ歎ジテ曰ク、吾ハ点《テン》ニ与《クミ》セン」

――うんうん、自分は点（弟子の名）の意見に賛成だよ。孔子のそういう大らかな一面を朱子学は無視したらしい。ということは、徳川幕府が、少くとも寛政の改革以後、儒教本来の大らかさを無視したことになる。蜀山人なんか、多分漢学派の方で、「つまらないことやるもんだ」と松平老中をからかって、「もとの濁りの田沼恋しき」を詠んだのでしょう。

寛政二（一七九〇）年「異学の禁」から万延元（一八六〇）年遣米使節江戸出立まで満七十年、時代が移り変る間に、この禁令がどの程度ゆるめられたか、ホイットマンが感心した使節団の立居振る舞いに、朱子学漢学どちらの教えが反映していたのか。山本夏彦さんの仰有る通り「ひとえに儒教のおかげ」ではあろうけど、そのへんの微妙なニュアンス、僕にはよく分りません。川路左衛門尉聖謨の、

「急ぎの御用だからゆっくりやってくれ」

あの一と言など、幕府の正学、理詰めの朱子学の影響からもう免れている人の言葉のような気がするのですが。

ちなみに、昭和二十二年七十九歳で世を去る狩野直喜先生は戦時中、

「今日の陸軍の政治的独断と横暴は全てこれ宋学の余弊」

と言っておられたと聞いています。こういう御判断と言い、御判断の基となった漢唐の学と言い、私は細川さんを通して狩野先生から学恩を受けているのですが、他にも教えを受けた先人と、先人の著書とは、その数ずいぶん多い。論語に限っても、何人もの

学者の注釈書のお世話になっている。おかげで意味を正確につかめて自分が気に入って今も覚えている言葉が、

「子曰ク、飽食終日、心ヲ用フル所無キハ難《カタ》イカナ、博奕《バクエキ》トイフ者有ラズヤ、之ヲ為スハ、猶ホ已《ヤ》ムニ賢《マサ》レリ」

とか、まだいくつかありますが、もうやめます。いよいよ終ります。

昔アメリカ人の音楽評論家が、ベートーベンの交響曲最終楽章の終り方について書いた小論文を読んだら、第五でも第九でも「もうすぐ終る。いよいよ終る。さあ終るぞ。ほんとに終る。終った。ついに終った。終って閉じて封印した」という風に終ると説明してありましたが、僕はせっかちだから、そんな終り方したくない。終ると言ったら今すぐにでも終りたいんだけど、心残りが一つあってそうもいきません。

温故知新

何が心残りかと言うと、論語「為政第二」の「温故知新」、あの「温」の字について、読者に伝えたいことがありながらその機を逸しているからです。

「温故知新」の四文字そのものは、墨書して額に収めたのが、学校の講堂なんかによく飾ってあったから、大ていの人が知っている。正確には、

「子曰、温故而知新、可以為師矣」（子曰ク、故《フル》キヲ温《タズ》ネテ新シキヲ知ル、以テ師ト為ルベシ）

です。古い歴史的事実をしっかり修得して新しい時代に対処しなさい、そうすれば新しい事もすべて正しく理解出来る、それでこそ人の師となれるというほどの意味でしょう。

「温」は訓読みすると普通「オダヤカ」「アタタカイ」「アタタメル」になる。おだやか

な顔が「温顔」、あたたかい風が「温風」、酒をあたためるのが「温酒」ですが、稀に「尋」の字と同じに使われて「タズネル」と訓《よ》む場合があり、「温故知新」はその一例です。じゃあ論語で「尋」を使わずに「温」としたのは何故か？

「古キヲタズネル」んだけど、ただ尋ねるのではなく「アタタメタズネル」んだよと、孔子は言いたかったらしい。読者に伝えたいことが残っていると僕が言ったのはそれです。「伝える」と言っても、僕自身の考えではなく吉川幸次郎先生のお説の受け売りです。吉川さんも狩野直喜先生に師事した京都の学者ですが、その人の『論語』（上下二巻、昭和四十年、朝日新聞社）に、次のような解釈が出ている。

「温とは、肉をとろ火でたきつめて、スープをつくること。歴史に習熟し、そこから煮つめたスープのような知恵を獲得する。その知恵で以て新シキヲ知ル」——。

まさに東洋古代の wisdom そのものではありませんか。肉を煮つめていい味のスープを取ろうと思ったら、強火でやっちゃいけないんだ。歴史を学ぶのも、にわか勉強で手早く片付けようとしたのでは駄目だよ、孔子はそう言いたくて「温」の字を使ったというのが吉川幸次郎先生の御見解です。

　僕はこの語り下ろしを始めるにあたって、自分に「大人の見識」の持ち合せがあるとは思っていないけれど、旧制高等学校に入った年から数えて今年でちょうど七十年、長い生涯の実体験や読書体験に即して、自分が感じたことを具体的に話すのなら出来るかも知れないと申しました。「序に代えて」の最後のところで、「読者がこれを老文士の個人的懐古談として読んで、自分たちの叡智を育てる参考にして下されば幸いです」と言っています。

　そうして考え考え「懐古談」をやっているうちに、人の話、人の著書の中でピカリと光っていた「大人の智恵」や「大人の見識」がいくつも頭に浮んで来ました。うろ覚えのものは調べ直して確かめました。この一冊は謂《い》わば、自分流にそれを寄せ集めて「智恵ある言葉の展覧会」を開いたようなものです。ついては終りの終り、会場の出口のところへ「温」の一字を大きく篆書《てんしょ》か何かで書いて飾っておきたいのですが、みなさん素通りせずにじっくり見て行って下さるでしょうか。

阿川弘之　1920（大正９）年広島県生まれ。東京大学国文科卒。海軍に入り、中国で終戦。戦後、志賀直哉に師事、『雲の墓標』、『山本五十六』『米内光政』『井上成美』の三部作の他、随筆に『食味風々録』など。99年に文化勲章を受章。

Ⓢ新潮新書

237

大人《おとな》の見識《けんしき》

著　者　阿川弘之《あがわひろゆき》

2007年11月20日　発行
2008年１月20日　８刷

発行者　佐　藤　隆　信

発行所　株式会社新潮社
〒162-8711　東京都新宿区矢来町71番地
編集部（03）3266-5430　読者係（03）3266-5111
http://www.shinchosha.co.jp

印刷所　株式会社光邦

製本所　株式会社植木製本所

ISBN978-4-10-610237-0 C0236